La increíble historia de...

David Walliams

La increíble historia de...

EL GIGANTE ALUCINANTE

Ilustraciones de
Tony Ross

Traducción de
Rita da Costa

montena

Papel certificado por el Forest Stewardship Council®

Título original: *The Ice Monster*
Primera edición: abril de 2019
Quinta reimpresión: diciembre de 2023

Publicado originalmente en el Reino Unido por HarperCollins
Children's Books, una división de HarperCollins Publishers, Ltd.

Diseño de la cubierta: adaptación del diseño de portada de HarperCollins
Publishers / Penguin Random House Grupo Ediorial
Ilustración de la cubierta: Tony Ross

Printed in Spain – Impreso en España

ISBN: 978-84-17671-42-6
Depósito legal: B-5.268-2019

Compuesto en Compaginem Llibres, S. L.

Impreso en Rotoprint by Domingo, S.L.
Barcelona

GT 7 1 4 2 C

Para Alfred.
Siempre te llevo en mi corazón.
Besos,
Papá

AGRADECIMIENTOS
ME GUSTARÍA DAR LAS GRACIAS A:
EDITORUS EXECUTIVIS
Ann-Janine Murtagh
ILUSTRATORUS MAGNIFICUS
Tony Ross
AGENTUS LITERATI
Paul Stevens
JEFASSUS MAXIMUS
Charlie Redmayne
CORRECTURUS III
Alice Blacker
MARKETUS ET RELATIOS PUBLICUM
Geraldine Stroud
Museo de Historia Natural

Editorum
Rachel Denwood
Editorum jefus
Kate Burns
Editorum jefus II
Harriet Wilson
Magna editorus
Samantha Stewart
Directorus creativus
Val Brathwaite
Designum graficus
Sally Griffin
Designum cubertae
Matthew Kelly
Directorus artisticum
David McDougall
Designum graficus
Elorine Grant
Designum graficus
Kate Clarke
Audioeditorum
Tanya Hougham
Museo de Historia Natural

Corre el año 1899...

... y estamos en el Londres victoriano. He aquí a los personajes de esta historia...

Elsie es una huérfana que malvive en las calles de Londres.

Lucy trabaja como mujer de la limpieza en el Museo de Historia Natural. Pese a su nombre, hasta las escobas tienen más luces que ella.

El **recluta Thomas** es el novio de Lucy, el soldado más bajito que ha servido jamás en el ejército británico. Sus compañeros de filas lo llaman «Retaco». Ahora está jubilado y vive en el Royal Hospital Chelsea, lo que lo convierte en un «pensionista del Chelsea».

La **señora Agria** es la vieja cascarrabias que dirige VILLA LOMBRICES: HOGAR PARA NIÑOS INDESEADOS.

El **señor Zoquete** es un brutote y también el guardia de seguridad del museo, tristemente célebre por sus botas con tachuelas.

El **inspector Gruñido** es el temible jefe de la policía londinense, famoso por su ridículo bigotillo.

Hace muchos años, el **profesor** era el científico más importante del museo, hasta que uno de sus experimentos salió muy pero que muy mal.

Lady Perdigón es una aristócrata aficionada a la caza mayor. Mata elefantes, jirafas y leones por toda África y luego lleva sus cadáveres al museo, donde acaban disecados y expuestos en vitrinas.

El **almirante** es el único hombre de mar que vive en el hospital. Lo echaron de la residencia para marineros jubilados por borrachín y alborotador.

El **coronel** y el **teniente** también son pensionistas del Chelsea.

El **general de brigada** es tuerto, pero eso no le impide controlar todo lo que pasa en el hospital, así que mucho «ojito» con él.

Todos los pensionistas del Chelsea están bajo la supervisión de la temible **enfermera jefe** del hospital.

La **reina Victoria** es la soberana del Imperio británico. En 1899 llevaba la friolera de sesenta y dos años en el trono, por lo que el suyo era el reinado más largo de la historia del Reino Unido hasta entonces.

Abdul Karim nunca se aparta de la reina. El joven y apuesto secretario real también atiende al nombre de «Munshi».

Sir Ray Robustiano es el fornido director del museo.

El **hombre anuncio** vaga por las calles intentando convencer a todo el mundo de que «SE ACERCA EL FIN».

El **capitán** está al mando de lo que en 1899 era una de las fragatas de guerra más modernas de la armada británica, el HMS *Argonaut*.

Los **manilargos** son una banda de pequeños granujas curtidos en las calles de Londres y famosos por ser los mayores ladrones de la ciudad.

Raj I posee su propio imperio comercial... también llamado carrito de las golosinas.

Y por último, mas no por ello menos importante, desde luego...

... he aquí al mismísimo
MONSTRUO DE LAS NIEVES,
un mamut lanudo que murió diez
mil años atrás. El animal fue hallado
sin vida por los exploradores
del Ártico, perfectamente
conservado bajo el hielo.

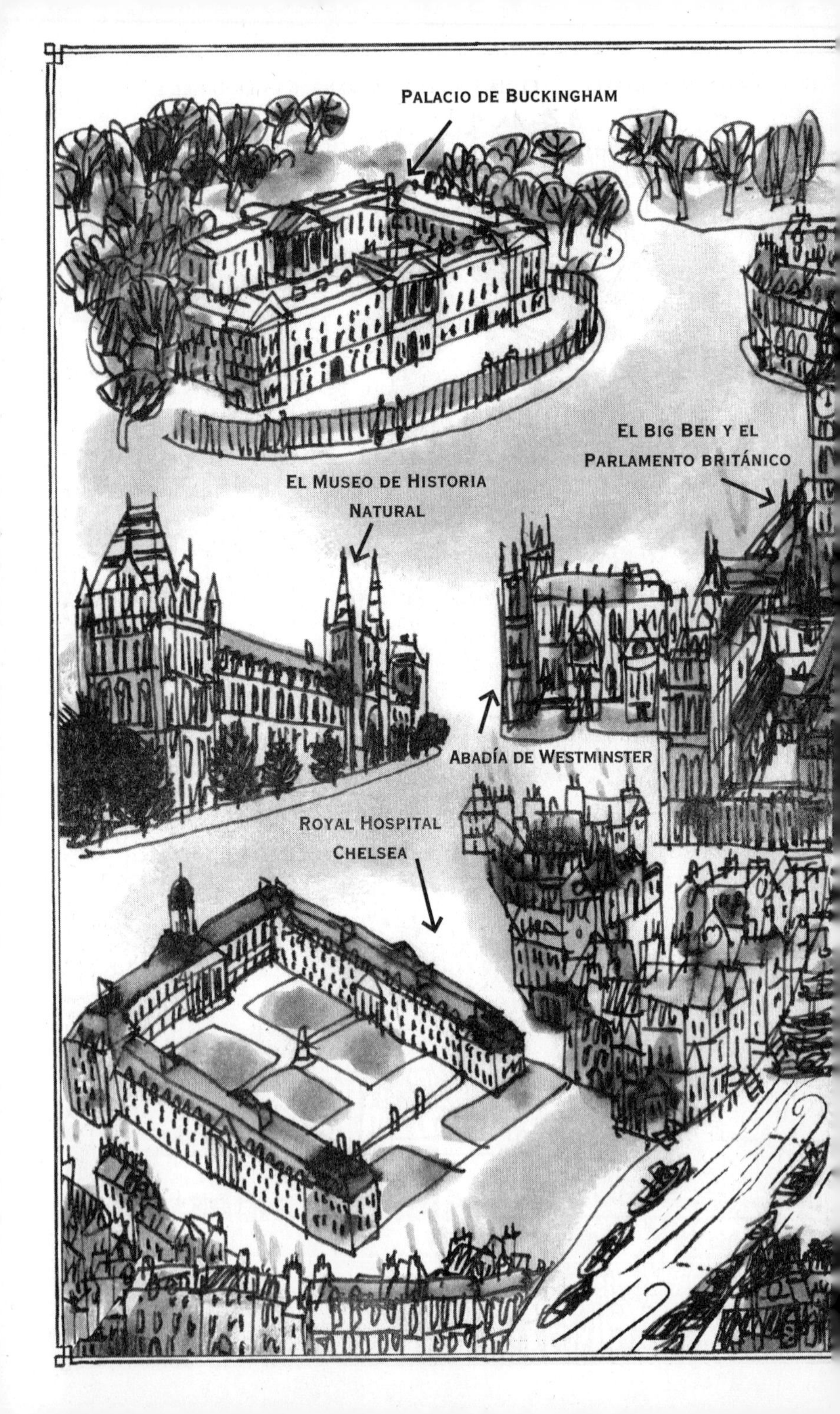
Palacio de Buckingham
El Big Ben y el
Parlamento británico
El Museo de Historia
Natural
Abadía de Westminster
Royal Hospital
Chelsea

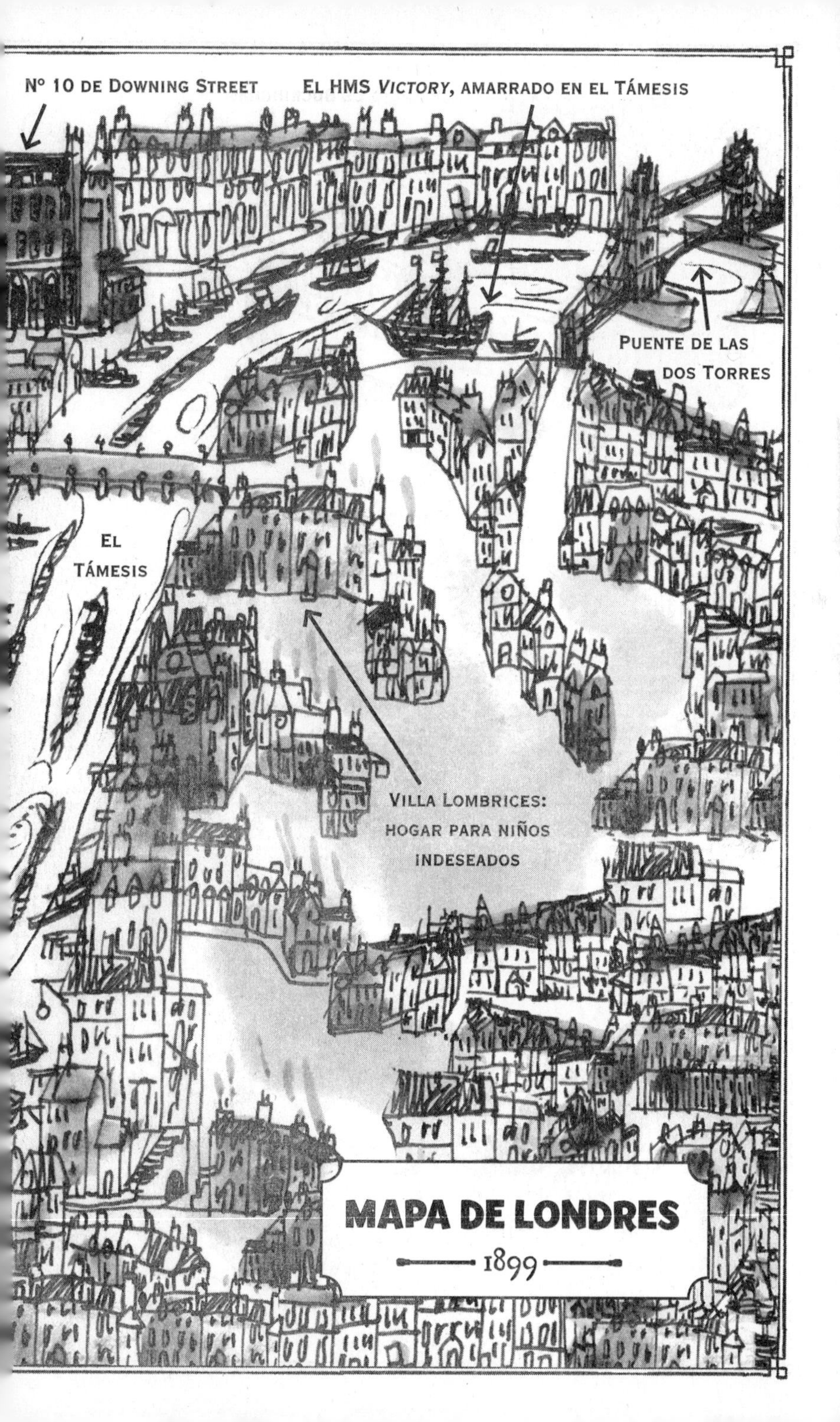
Nº 10 de Downing Street
El HMS *Victory*, amarrado en el Támesis
Puente de las dos Torres
El Támesis
Villa Lombrices: hogar para niños indeseados
MAPA DE LONDRES
1899

PRIMERA PARTE

LONDRES

1899

Capítulo 1

CUCARACHAS PARA DESAYUNAR

Una cruda noche de invierno, en un barrio muy humilde de Londres, alguien dejó a un bebé recién nacido en los escalones de un orfanato. No había nota ni nombre alguno, ninguna pista sobre quién podría ser aquella personita. Nada aparte del saco de patatas que la envolvía mientras la nieve caía a su alrededor.

En la época victoriana, no era raro que un bebé recién nacido apareciera a las puertas de un orfanato, un hospital o incluso una casa de los barrios ricos. Las madres de esos bebés, pobres y desesperadas, los abandonaban con la esperanza de que los acogieran y les dieran una vida mejor de la que ellas podían brindarles.

Sin embargo, cuesta imaginar que la vida de este bebé en particular pudiera haber empezado peor que en VILLA LOMBRICES: HOGAR PARA NIÑOS INDESEADOS.

Allí vivían veintiséis niños huérfanos, apretujados en una habitación en la que, siendo generosos, no cabían más de ocho personas. Los tenían encerrados bajo llave, les pegaban y les hacían pasar hambre. Por si fuera poco, los obligaban a trabajar noche y día, montando relojes de bolsillo con piezas diminutas hasta que se quedaban ciegos.

Todos los niños estaban en los huesos y vestían harapos mugrientos. Tenían la cara negra a causa del hollín, así que lo único que se veía de ellos en la penumbra de su habitación eran unos ojillos esperanzados.

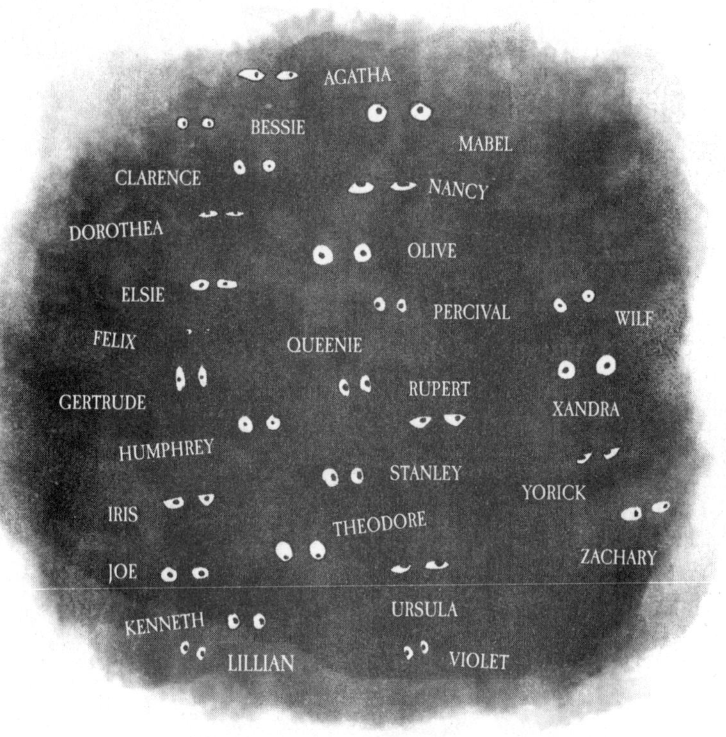

Cada vez que llegaba un nuevo bebé al orfanato, los demás niños se encargaban de ponerle nombre. Les gustaba ir siguiendo las letras del alfabeto para que sus nombres fueran lo más distintos posible. La noche que alguien dejó un bebé envuelto en un saco de patatas en los escalones del orfanato, iban por la letra «E». Si lo hubiesen dejado la víspera, tal vez le hubiesen puesto Doris. Un día más tarde, podría haber sido Frank. Pero ese día decidieron que se llamaría **Elsie.**

El lugar tenía más de cárcel que de orfanato, y funcionaba a las órdenes de una vieja y malvada cascarrabias, la señora Agria. Su expresión habitual era una mueca de asco, y estaba cubierta de verrugas de arriba abajo. Eran tantas que hasta sus verrugas tenían verrugas. Lo único que la hacía sonreír era oír el llanto de un niño.

La señora Agria se zampaba toda la comida que le donaban para los huérfanos, así que los niños a su cargo se veían obligados a comer cucarachas para desayunar, almorzar y cenar.

—¡Los bichillos tienen muchas vitaminas! —se burlaba la mujer.

Si alguno de los huérfanos osaba decir una sola palabra después de que se apagaran las velas, la señora Agria le metía por el gaznate una de sus viejas medias empapadas en pus, y no se la podía quitar hasta que hubiese pasado una semana.

—¡A ver si así aprendes a estar calladito, bocazas!

Mientras los niños dormían en el frío suelo de piedra, ella les metía lombrices por dentro de la ropa para que se despertaran chillando.

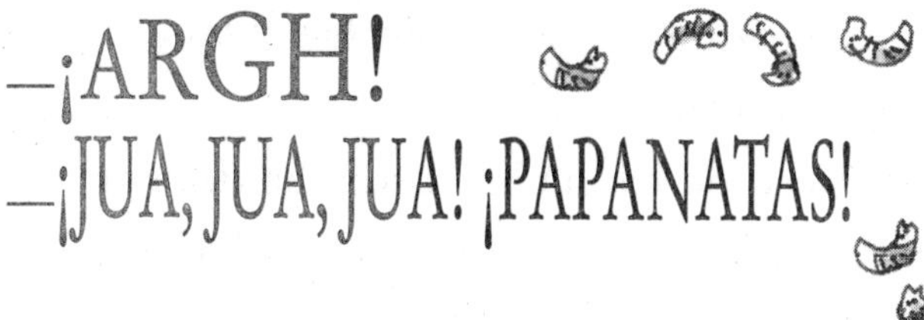

—¡ARGH!

—¡JUA, JUA, JUA! ¡PAPANATAS!

La señora Agria estornudaba adrede sobre los huérfanos...

—¡ACHÍÍÍÍÍÍS!

... y se sonaba la nariz en su pelo.

—¡JJJRRRÑÑÑ! ¡MAMARRACHO!

Su concepto de «baño» semanal consistía en meter a los huérfanos de uno en uno en un tonel repleto de lombrices.

—¡Las lombrices se comerán vuestra mugre, sabandijas asquerosas! —decía la señora Agria con una risita malvada.

Para secarlos después del baño, colgaba a los niños de las orejas en la cuerda de tender.

¡ÑACA!

En cierta ocasión, cuando descubrió que Elsie llevaba en el bolsillo un ratón del que se había hecho amiga, la señora Agria lo usó como pelota para jugar al críquet.

¡ZAS!

—¡HIIIIIC!

¡FIUUU!

¡CATAPUMBA!

Si creía que uno de los huérfanos la miraba mal, la señora Agria le metía en el ojo uno de sus sucios y regordetes dedos.

—¡AAAY!

—¡Para que aprendas, MENTECATO!

Por Navidad, como detalle especial, los niños hacían cola para recibir su regalo, un azote en el trasero con El gran libro de los villancicos.

¡ZASCA!

—¡Feliz Navidad, pequeño! —exclamaba la señora Agria alegremente con cada azote.

Elsie aguantó diez largos y crueles años en VILLA LOMBRICES. Lo único que le permitía seguir adelante era la esperanza de que algún día su mamá apareciera como por arte de magia y se la llevara de allí para siempre. Pero eso nunca pasó. Según iba creciendo, Elsie imaginaba historias cada vez más rocambolescas sobre ella.

Tal vez fuera una exploradora de la jungla...

O una acróbata de una compañía de circo ambulante...

¡O mejor aún, una famosa pirata que vivía aventuras en alta mar!

Todas las noches, Elsie inventaba historias maravillosas para sus compañeros del orfanato. Con el tiempo, se convirtió en una magnífica cuentacuentos. Tenía a todos los demás niños comiendo de la mugrienta palma de su manita.

—Y entonces mamá se dio cuenta de que había ido a parar a un lugar muy pero que muy oscuro. Era el vientre de una inmensa ballena azul...

»Mamá logró escapar de la tribu de caníbales, y no fue tarea fácil, porque se habían comido su pierna izquierda...

»¡Buuum! Mamá lanzó la bomba al Támesis justo a tiempo, así que no hubo ninguna víctima mortal. Un día más en la vida de una agente secreta. Colorín, colorado.

Cuando la historia llegaba a su fin, los demás huérfanos suplicaban...

—¡Otra!

—¡No queremos irnos a dormir todavía!

—¡POR FAVOR, ELSIE, SOLO UNA MÁS!

Una noche, los niños aplaudieron la historia de Elsie con tanto entusiasmo que despertaron a la señora Agria.

—¡BASTA YA DE HISTORIAS, PEQUEÑA SABANDIJA REPUGNANTE! —vociferó la mujer, golpeando a Elsie con el palo de una escoba a cada palabra. La media empapada en pus que había metido en la garganta de la niña apenas si podía ahogar sus gritos.

—¡AAAY! ¡AAAY! ¡AAAY!

La señora Agria le dio una paliza tal que Elsie temió por su vida. Su cuerpecillo estaba cubierto de morados, y supo que tenía que escapar si no quería acabar muerta.

Capítulo 2

PIES DE MONO

Elsie se hacía amiga de todos los ratones y palomas que se colaban en VILLA LOMBRICES. Si tenía algo de comer lo compartía con ellos, y les curaba cualquier herida que tuvieran en las patas o las alas. A cambio, los animales le daban cariño y hacían que no se sintiera tan sola. En el fondo, Elsie estaba muy unida a esas «alimañas», como las llamaba la señora Agria. Las veía como pequeñas criaturas indefensas que no tenían a nadie más en el mundo, tal como ella.

Un día, Elsie se dio cuenta de que los ratones se colaban en el orfanato por una vieja tubería que bajaba desde el techo.

Si algo la distinguía de los demás huérfanos eran sus pies. Elsie no tenía pies normales y corrientes, sino pies de mono.

La ventaja de tener dedos largos y gruesos que le permitían coger cosas con los pies como lo hacía con las manos era que trepar estaba chupado para ella. Así que una noche, mientras todos los demás dormían, Elsie subió por la cañería para ver por dónde se escabullían los ratones. Tal como sospechaba, había un agujero del tamaño de un ratón en lo alto de la pared.

A partir de entonces, todas las noches, cuando se apagaban las velas, Elsie escalaba la cañería con sus pies de mono. Una vez arriba, escarbaba la pared con las uñas de las manos. Noche tras noche, la niña raspaba y hurgaba, agrandando el agujero poco a poco.

¡RIS, RAS! ¡RIS, RAS! ¡RIS, RAS!

A fuerza de rascar, logró hacer un agujero lo bastante grande para que su cuerpecillo flacucho cupiera por él. Pero no podía irse de VILLA LOMBRICES sin despedirse de sus veinticinco amigos.

—¡Despertad! —los llamó en susurros. Varios pares de ojillos brillaron en medio de la oscuridad—. Esta noche me escapo. ¿Quién se viene conmigo?

SILENCIO.

—¡He dicho que quién se viene conmigo!

Se oyeron murmullos que decían «Me da demasiado miedo», «La señora Agria nos matará» o «Nos cogerán y nos molerán a palos».

La más pequeña de todo el grupo de huérfanos era una niña llamada Nancy que adoraba a Elsie como si fuera su hermana mayor.

—¿Adónde irás? —le preguntó la pequeña.

—No lo sé —contestó Elsie—. No puede haber nada peor que esto.

—Por favor, no te olvides de nosotros.

—¡Eso nunca!

—¿Me lo prometes?

—Te lo prometo —dijo Elsie—. Algún día volveremos a vernos todos, lo sé.

—Echaré de menos tus cuentos —dijo otro huérfano, Felix.

—Yo también —añadió Percival.

—La próxima vez que nos veamos, os contaré la historia más increíble de todas.

—Suerte, Elsie —dijo Nancy.

—Siempre te llevaré aquí —contestó la niña, dándose una palmadita en el pecho.

Elsie se encaramó a la cañería, trepó hasta arriba con sus pies de mono, se metió de cabeza por el estrecho agujero de la pared y, con un último contoneo, desapareció de vista.

Capítulo 3

TUFILLO A MUGRE

Elsie echó a correr como alma que lleva el diablo, sin atreverse a mirar atrás. Era libre pero estaba sola, y ahora tendría que valerse por sí misma en las calles de Londres, aunque nunca había puesto un pie fuera del orfanato. La gran ciudad era un lugar temible, sobre todo para una niña. El PELIGRO acechaba a la vuelta de cada esquina.

Pero Elsie no tardó en espabilar: aprendió a robar comida de los puestos del mercado, encontró una vieja bañera de hojalata que usaba a modo de cama y en vez de sábanas se tapaba con hojas de diario. Para sus adentros, imaginaba que dormía en una gran cama con dosel digna de una reina.

Al no tener un hogar ni familia, Elsie era lo que por aquel entonces se conocía como una «pilluela». En la época victoriana, Londres estaba lleno a rebosar de niños como ella que vivían solos en las calles.

Elsie la Pilluela

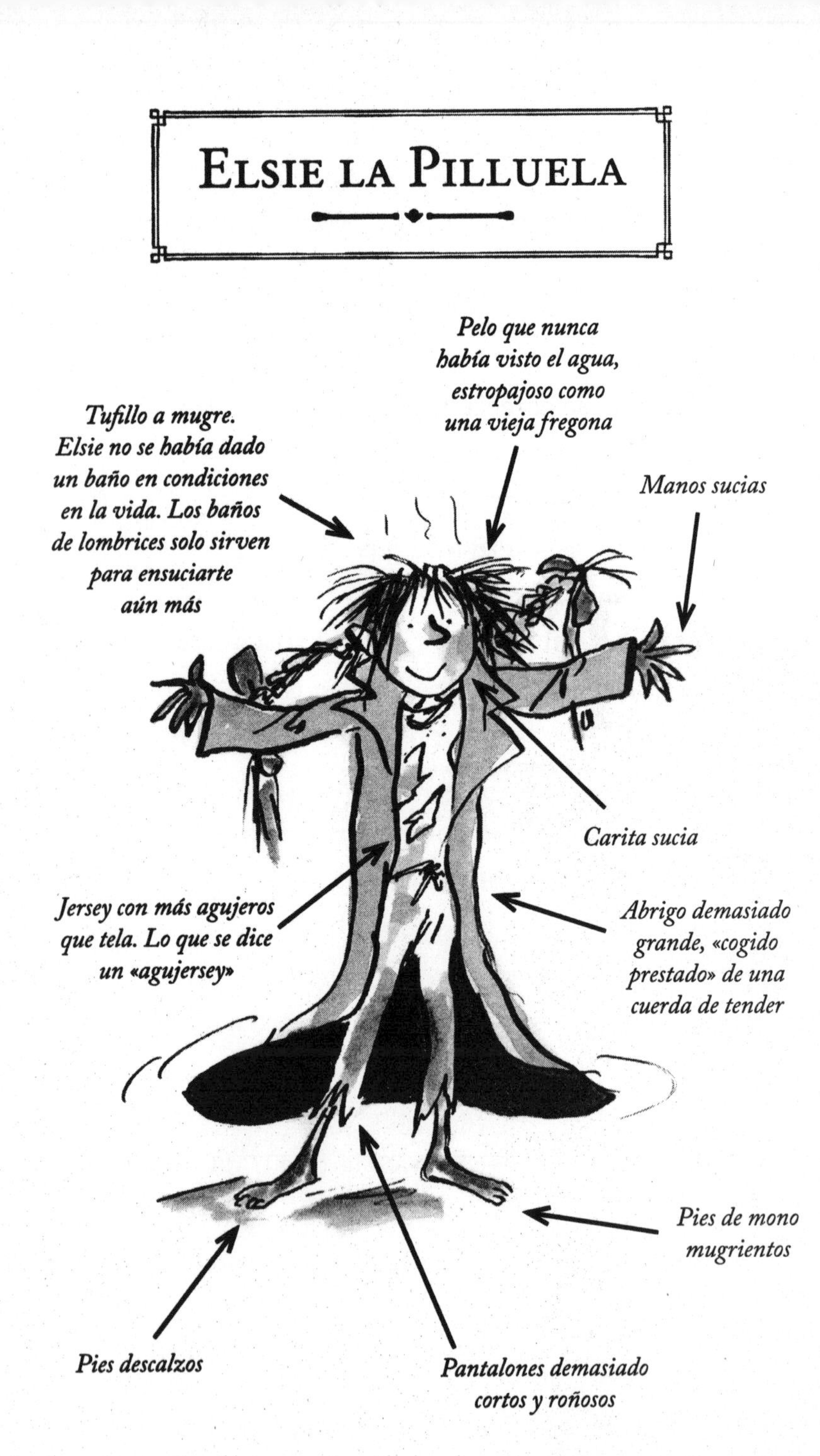

Elsie no se parecía demasiado a una **heroína**.
Pero, como no tardaréis en descubrir,
resulta que los **héroes** vienen
en toda clase de

FORMAS

y TAMAÑOS.

Capítulo 4

UNA CONSUMADA LADRONA

—¡EXTRA, EXTRA! ¡MONSTRUO DE LAS NIEVES HALLADO EN EL ÁRTICO!

Vivir en las calles de Londres tenía sus ventajas: dormir bajo las estrellas, comer tanta fruta y verdura frescas como pudieras birlar y, lo que es mejor, ser el primero en enterarse de todo. Las noticias corrían como la pólvora, y esta era una GRAN noticia.

Como nunca había ido a la escuela, Elsie no sabía leer ni escribir, pero los vendedores de diarios anunciaban los titulares a grito pelado para llamar la atención de los transeúntes.

The Evening Standard
¡HALLAZGO DEL SIGLO!
¡DESCUBREN MONSTRUO DE LAS NIEVES EN EL POLO NORTE!
The London Chronicle
HALLAN MONSTRUO ENTERRADO EN EL HIELO
The Evening Standard
¡HALLAZGO HISTÓRICO!
¡DESENTIERRAN MONSTRUO DE LAS NIEVES CONSERVADO EN EL HIELO!
The London Chronicle
MONSTRUO DE LAS NIEVES CONGELADO EN EL ÁRT
The Times
EL MONSTRUO DE LAS NIEVES
¡LOS EXPERTOS CREEN QUE TIENE DIEZ MIL AÑOS DE ANTIGÜEDAD!

¿Podía ser cierto?

¿Un monstruo de verdad?

¿Que había vivido diez mil años atrás?

Elsie era lo bastante mayor para saber que los monstruos no existían, y lo bastante joven para creer que a lo mejor estaba equivocada.

La niña acababa de robar una manzana de un puesto del mercado para desayunar. Mientras se la comía a mordiscos, tan ricamente, se acercó al quiosco pasando entre unos caballeros con sombrero de copa que iban camino del trabajo.

—¡Largo de aquí, pilluela! —bramó el quiosquero, y le dio un cogotazo con un ejemplar enrollado de *The Times.*

¡ZASCA!

Si eras un pilluelo, lo normal era que los adultos te dieran para el pelo. A nadie le importaba, eras la escoria de la sociedad. Pero peor era dejarse pegar con un palo de escoba en VILLA LOMBRICES.

—¡Solo quiero mirar! —suplicó Elsie.

—Estos diarios no son para mirar, sino para comprar. ¡Esfúmate de una vez, antes de que te eche de una patada ya sabes dónde!

Como no le apetecía demasiado notar la bota del hombre en el trasero, Elsie sonrió al quiosquero y se alejó tranquilamente calle abajo. Torció en un callejón cercano, se metió la mano en los fondillos del mugriento pantalón y sacó un ejemplar de *The Times*. La niña se había convertido en una consumada ladrona.

En primera plana había unas letras **negras grandes y gruesas**. Elsie sabía que formaban palabras, pero para ella eran un revoltijo que no le decía nada. Lo que sí le decía algo era la foto que había debajo de las letras, de una criatura extraña que se parecía a un elefante.

En cierta ocasión, Elsie se había colado en la carpa del circo y había visto a uno ejecutando su número artístico. Sin embargo, a diferencia de aquel, este elefante tenía un manto de grueso pelo y dos largos colmillos curvos. Además, estaba atrapado en un inmenso bloque de hielo, y había varios exploradores a su alrededor, posando orgullosos.

Pese a su extraño aspecto, Elsie no estaba nada segura de que aquella pobre criatura fuera un monstruo. Los monstruos daban miedo, pero a este daban ganas de **abrazarlo**.

Parecía bastante más pequeño que el elefante que ella había visto en el circo. Tal vez fuera un cachorro. Pese a llevar miles de años muerto, daba la impresión de estar solo y perdido.

—Un huérfano...
—dijo Elsie para sus adentros—.
Igualito que yo.

•—✱—•

Capítulo 5

UN MUNDO ASOMBROSO

Siendo como era una pilluela, Elsie siempre estaba fuera de lugar, observándolo todo como una espectadora. Día tras día veía un Londres muy distinto al suyo desfilar ante sus ojos. Carruajes tirados por caballos que pasaban a toda velocidad calle abajo,

colegiales con uniforme que iban a la escuela,

damas y caballeros que la esquivaban cuando salían de la ópera.

En la mente de Elsie se atropellaban montones de preguntas.

¿Adónde iban todos con tanta prisa?

¿A qué sabrían realmente esas tartas de aspecto delicioso que veía en el escaparate de la pastelería?

¿Y qué habría tras las puertas de esos edificios magníficos?

Un día, la niña decidió salir de su mundo y adentrarse en el otro.

Elsie estaba delante del edificio más impresionante de todos, el **MUSEO DE HISTORIA NATURAL**. Cuando intentó entrar, el señor Zoquete, un guardia de seguridad muy bruto que llevaba botas con tachuelas, la echó con malos modos.

—Los mendigos roñosos como tú solo vienen aquí a buscarme las pulgas —masculló mientras la arrojaba desde lo alto de la escalinata.

Elsie no era de las que se rinden fácilmente, así que se coló en el museo mezclándose con un grupo de caballeros con chistera.

Nada más entrar, la niña se quedó maravillada ante ese **MUNDO ASOMBROSO**.

El museo albergaba tesoros increíbles, como modelos a escala real de ballenas...

... animales disecados...

... huesos de dinosaurio...

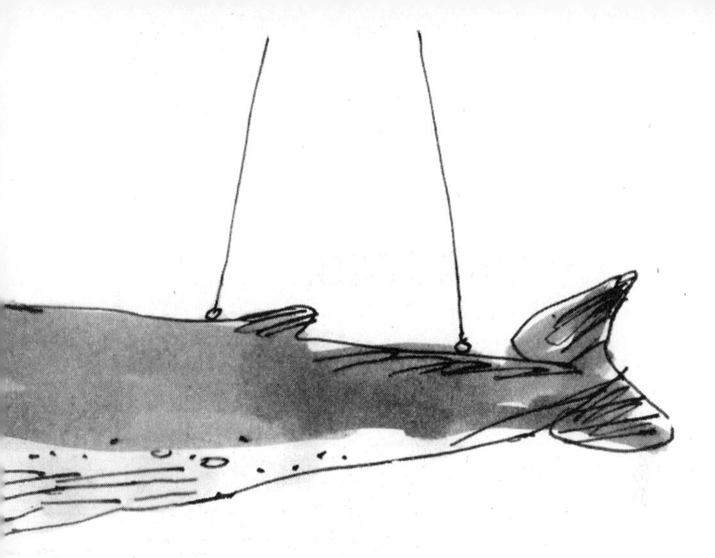

... meteoritos...

... piedras preciosas...

... libros antiguos repletos de ilustraciones bellísimas de animales exóticos...

... tallas de madera prehistóricas...

... y pinturas que cubrían las paredes de punta a punta con criaturas que se habían extinguido mucho tiempo atrás.

Elsie empezó a colarse en el museo a diario. No sabía leer, pero se fijaba mucho en lo que decían los guías y pronto se convirtió en poco menos que una experta. Así que, cuando vio la foto del «**MONSTRUO DE LAS NIEVES**» en la primera plana del diario, supo al instante que en realidad se trataba de un mamut lanudo. Elsie había aprendido que esas criaturas vivieron durante la GLACIACIÓN, cuando los tigres dientes de sable, los osos GIGANTES,

los perezosos

y los castores campaban a sus anchas,

y aves como el *Teratornis*, más grande que una persona, ensombrecían el cielo con sus alas.

Elsie se moría por seguir la historia del **MONSTRUO DE LAS NIEVES**, así que todos los días por la mañana birlaba un diario para buscar noticias de la criatura. Pasaron varias semanas, hasta que un día vio un batiburrillo de letras que reconoció en la primera plana del diario.

Eran calcadas a las que había visto a un lado de su edificio preferido.

Elsie supo que **haría lo que fuera** por verlo de cerca.

•⁓*⁓•

Capítulo 6

FANTASMAS GIGANTES

Poco después de que hallaran al **MONSTRUO DE LAS NIEVES**, Londres se vio sumido en el más crudo de los inviernos. Un viento gélido trajo consigo fuertes ráfagas de nieve, y al cabo de poco toda la ciudad estaba sepultada bajo un grueso manto blanco. Una capa de hielo cubrió el río Támesis.

Cuando hacía tanto frío, los niños sin hogar como Elsie se morían en los portales. Se quedaban dormidos y nunca volvían a despertarse. Los encontraban al alba con la cara cubierta de escarcha.

La pobre Elsie estaba ACURRUCADA en su bañera de hojalata, bajo una pila de hojas de diario, tratando de entrar en calor.

Se miró las manos. Temblaban de frío y se estaban poniendo azules. Casi echaba de menos VILLA LOMBRICES. Casi.

Elsie se coló en el **MUSEO DE HISTORIA NATURAL** a la hora del cierre, pegándose a un grupo de monjas para que el guardia de seguridad no la viera. Una vez dentro, correteó por los largos pasillos, dejando atrás esqueletos de dinosaurio colgados de cables que parecían fantasmas gigantes, hasta dar con un armario que no estaba cerrado con llave. Se metió dentro y cerró la puerta desde el interior. Era un armario de la limpieza, demasiado pequeño para poder acostarse en el suelo, por lo que se durmió estando de pie, con la cabeza apoyada en las fregonas. De hecho, la propia Elsie se parecía bastante a una fregona: era flaca como un palo rematado por una mata de pelo enmarañado.

Elsie estaba segura de que nadie la encontraría allí dentro. Pero se equivocaba.

Al día siguiente, muy temprano, antes incluso de que saliera el sol, la despertó la señora de la limpieza cuando fue a abrir el armario. La mujer bostezó y cogió la primera «fregona» que encontró, que en realidad era Elsie.

—¡Aaay! —chilló la mujer.

—¡ARGH! —farfulló Elsie, pues la estaba sujetando por el cuello.

—¡No eres una fregona! —exclamó la mujer.

—No. Soy una niña.

—¿Qué haces en mi armario de la limpieza?

—Estaba durmiendo. No quería morirme de frío.

—No, eso no hay que hacerlo.

Elsie tragó saliva.

—No irá a chivarse de mí, ¿verdad?

La mujer hizo lo último que hubiese esperado la niña.

Sonrió.

Lo más habitual era que los adultos trataran a los pilluelos con crueldad, pero aquella mujer era distinta.

—¡No! Tú tampoco te chivarás de mí, ¿verdad que no? —le preguntó.

—¿Chivarme... yo... de usted?

Elsie estaba hecha un lío.

—Esto podría costarme mi trabajo.

—No, no, no. Yo nunca haría algo así. No soy una chivata.

—Menos mal. Yo tampoco. ¿Cómo te llamas?

—Elsie.

—Yo me llamo Lucy, aunque alguna vez me han dicho que no soy especialmente lúcida. ¿Eres una niña?

Elsie se quedó patidifusa. Creía que saltaba a la vista.

—Pues claro.

—Solo te lo pregunto porque eres más alta que mi pretendiente.

—¿Cómo es de alto?

—Retaco es más bajito que tú. En realidad no se llama así, pero es el apodo que le han puesto los demás soldados.

—¿Cuántos años tiene?

—Setenta y tres.

—¿Ha encogido?

—Qué va, Dios lo hizo así. —Lucy sacó una foto sobada del bolsillo—. Este de aquí es Retaco.

Elsie miró la foto. Debía de haberse tomado hacía años, porque en ella se veía a un joven recluta uniformado sosteniendo un fusil que era más alto que él.

—Pues sí que es bajito —señaló la niña.

—Al natural parece más alto.

—Ya me lo figuraba —repuso Elsie.

—¡Es mi héroe! —exclamó Lucy, y besó la foto antes de volver a guardarla en el bolsillo—. Oye, seguro que tienes hambre.

La niña asintió.

—¡Me comería un buey!

Elsie siempre estaba tan hambrienta que le dolían las tripas. Lucy hurgó en otro de sus bolsillos.

—Ten, puedes comerte mi almuerzo. Pan con manteca.*

* La manteca es grasa de cerdo.

Sonriendo, Elsie cogió el pan, lo partió en dos trozos y le dio la mitad a Lucy. Ambas se sintieron conmovidas por la generosidad de la otra.

Elsie devoró su mitad en un visto y no visto. Ese humilde pan con manteca era para ella un manjar digno de dioses.

—¿Dónde están tus padres, pequeña?

—No lo sé. No llegué a conocerlos.

—¿Eres huérfana?

—Supongo que sí.

—Pobrecilla.

—De nada me sirve sentir lástima por mí misma. Más me vale seguir adelante.

En ese momento, ambas oyeron pasos. Alguien se acercaba por el pasillo dando grandes *PISOTONES*.

¡CHIS, CHAS, CHIS, CHAS, CHIS, CHAS!

Lucy se llevó un dedo a los labios para advertir a Elsie que no dijera una sola palabra y corrió a cerrar la puerta del armario.

Capítulo 7

Y YO VOY Y ME LO CREO

Elsie se quedó muy quieta y callada dentro del armario de la limpieza, atenta a lo que decían los adultos al otro lado de la puerta.

—¿CON QUIÉN ESTABAS HABLANDO, LUCY? —preguntó un vozarrón.

—Ah, pues con mis escobas y fregonas, señor Zoquete —contestó la mujer.

—¡Y yo voy y me lo creo! —se burló el hombre—. ¡Como responsable de la seguridad del museo, te ordeno que abras esa puerta ahora mismo!

—No puedo.

—¿Cómo que no puedes?

—Se me han aflojado las manos.

—¿Cómo que se te han aflojado las manos?

—¡Será de tanto fregar!

—¡Muy bien, pues ya la abro YO!

—Yo que usted no lo haría.

—¿Por qué no?

—Acabo de SOLTAR UNA TRACA ahí dentro.

—¿Que has hecho qué?

—Tenía ventosidades y las he soltado ahí dentro para que los animales disecados no tuvieran que olerlas. Son de las que tumban. Habrían hecho saltar la pintura de las paredes.

—Eso no justifica que estuvieras hablando en voz alta.

—Estaba hablando con mi propio trasero.

—¿Cómo que estabas hablando con tu propio trasero?

—Le estaba leyendo la cartilla, señor Zoquete.

Elsie tuvo que taparse la boca con la mano para reprimir una carcajada. Tal vez Lucy no tuviera demasiadas luces, pero imaginación no le faltaba.

—¡No he oído una historia más descabellada en toda mi vida! —estalló Zoquete—. Aparta de ahí, anda, o me veré obligado a hacer a usar... ¡la fuerza!

La niña oyó un forcejeo.

—¡OYE!

—¡AAAY!

—¡QUITA DE ENCIMA!

Rápida como el rayo, Elsie se escondió lo mejor que pudo entre las escobas y fregonas.

La

puerta

se abrió

de

sopetón...

Capítulo 8

EL MUSEO DE HISTORIA ANTINATURAL

Zoquete se asomó al interior del oscuro y tenebroso armario. Su corpachón ocupaba prácticamente todo el vano. Llevaba unas **enormes** botas con tachuelas, tan limpias y relucientes que se podría comer en ellas. El hombre se tapó la nariz.

—¡Menuda PESTE hace aquí dentro!

Era el tufillo de Elsie, claro está.

—Eso dígaselo a mi trasero —replicó Lucy.

Justo entonces, algo llamó la atención del hombre entre las fregonas y escobas.

—¿Qué es **esto**? —preguntó, señalando la mata de pelo de la niña, que asomaba entre los utensilios de limpieza.

—¿Eso? —preguntó Lucy con cara de inocente.

—Sí, eso.

—¡Ah, eso! Es una de mis nuevas fregonas de pelo humano.

—¿Fregonas de pelo humano? —replicó Zoquete.

—Pues sí. Son fantásticas para limpiar los rincones a los que no llegan las fregonas normales. Como por ejemplo entre los huesos de las patas de los dinosaurios.

—Creo que no puedo soportar este HEDOR ni un segundo más —dijo el hombre, pálido como la cera.

—Mire que se lo he dicho, señor Zoquete. Mis ventosidades son de lo que no hay.

—Tanto que deberían tener su propio museo —dijo Zoquete—. **El MUSEO DE HISTORIA ANTINATURAL.**

—Bueno, señor Zoquete... —empezó Lucy mientras cerraba el armario de un portazo—. Siempre es un placer charlar con usted, pero si no le importa tengo que ir a dar un buen repaso a los huevos de dodo.

—Lucy...

—¿Sí?

—Tienes que hacer algo para acabar con esas tracas.

—Invertiré en un corcho.

—Entonces todos tendremos que ponernos cascos metálicos por si sale DISPARADO.

—No está mal visto, señor Zoquete. ¡Ya se me ocurrirá algo!

—¡Venga, a trabajar!

—¡Lo mismo digo!

—Yo no me puedo poner a trabajar hasta que tú te pongas a trabajar.

—Pues si no fuera porque está usted ahí plantado diciéndome que me ponga a trabajar, yo ya me habría puesto a trabajar.

—¡A TRABAJAR DE UNA VEZ! —bramó el hombre.

Lucy empezó a limpiar el suelo y, haciéndose la despistada, pasó la fregona sucia sobre las relucientes botas con tachuelas del guardia de seguridad, que se puso hecho una furia.

—¡Mis botas! —gritó Zoquete.

—¡CACHIS! ¡Cuánto lo siento!

—¡Vieja bruja descerebrada!

—Lo de «vieja» no se lo consiento, señor Zoquete.

—Tengo que limpiar las botas antes de que empiecen a llegar los visitantes.

—Sí, porque para eso vienen todos al **MUSEO DE HISTORIA NATURAL**, señor Zoquete. No para admirar los esqueletos de dinosaurios, no, sino para verse reflejados en sus botas. ¡Como los chorros del oro, tienen que estar!

Zoquete le echó una mirada asesina antes de enfilar el pasillo a grandes zancadas, dispuesto a amargarle la vida a otra persona.

¡CHIS, CHAS, CHIS, CHAS, CHIS, CHAS!

Unos instantes después, Lucy abrió la puerta del armario.

—¡UFFF! —suspiró Elsie—. Por poco nos pilla.

—O mucho me equivoco o no tardará en volver.

—Será mejor que me vaya.

—¿Seguro que estarás bien?

—No te preocupes. Buscaré otro lugar para esconderme esta noche.

—¿Estás segura?

—Sí, estoy segura.

—La gente no tardará en empezar a llegar. Es un buen momento para salir sin llamar la atención.

—Tengo que preguntarte algo.

—Dime, tesoro.

—¿Por qué eres tan buena conmigo? —preguntó Elsie.

—¿Y por qué no iba a serlo? —fue la sencilla respuesta de Lucy.

Ambas intercambiaron una sonrisa y luego la niña se escabulló por el largo pasillo.

—¡Cuídate, pequeña! —dijo la señora de la limpieza a su espalda—. Y no tardes en venir a verme otra vez.

—Lo haré —contestó Elsie.

Y vaya si lo hizo.

Capítulo 9

COSA DEL DEMONIO

Todos los días por la mañana, Elsie buscaba en los periódicos nuevas noticias del **MONSTRUO DE LAS NIEVES**. Pasaron semanas sin novedades hasta que un día oyó a los vendedores de diarios con sus gorras gritando desde los quioscos...

—¡EL MONSTRUO DE LAS NIEVES LLEGARÁ EN BARCO POR EL TÁMESIS!

—¡EL MONSTRUO DE LAS NIEVES DESEMBARCA HOY EN LONDRES!

—¡EL MONSTRUO DE LAS NIEVES SE CONSERVARÁ EN HIELO EN EL MUSEO!

El corazón de Elsie daba brincos de emoción.

En el Ártico, habían metido al mamut, junto con el **enorme** bloque de hielo en cuyo interior lo habían encontrado, en una gran caja de madera llena de nieve y lo habían enviado a Londres en un barco ballenero. A bordo de esa embarcación, el mamut había recorrido miles de millas, desde el Ártico hasta la desembocadura del Támesis.

Desde allí viajó río arriba, rumbo a Londres y a su destino final, el **MUSEO DE HISTORIA NATURAL.** El barco ballenero avanzaba escoltado por una flotilla de relucientes fragatas de la armada británica que iban rompiendo el hielo a su paso para garantizar su seguridad.

El **MONSTRUO DE LAS NIEVES** iba a tener un recibimiento digno de la realeza. Miles de londinenses se apiñaban a lo largo de las orillas del río con la esperanza de vislumbrar a la criatura y formar parte de ese momento histórico.

Como era pequeñita, Elsie se arrastró entre las piernas de los adultos hasta colarse en la primera fila. Desde allí vio el barco ballenero y la inmensa caja de madera, que más parecía un ataúd, en la que viajaba el animal.

Cuando los barcos pasaron, Elsie cruzó la ciudad a la carrera en dirección al museo. Como vivía en las calles, conocía Londres como la palma de su mano. CORRIÓ por callejones, cruzó jardines, enfiló túneles, saltó desde tejados y hasta se encaramó a la parte trasera de coches tirados por caballos para llegar allí antes que el monstruo.

Una hilera de policías con los brazos entrelazados formaba un muro de contención alrededor del museo mientras los londinenses se abalanzaban hacia delante para ver cómo la gran caja de madera avanzaba lentamente sobre un carro tirado por cincuenta imponentes caballos.

—¡VIVAAA! —coreaban los londinenses al unísono.

Todos menos uno: el hombre anuncio, un anciano barbudo que llevaba una doble pancarta colgada de los hombros, sobre el pecho y la espalda, con la advertencia **«SE ACERCA EL FIN»**.

El hombre sostenía en alto un ejemplar de la Biblia y gritaba: «¡Esto es cosa del demonio! ¡La profecía se ha cumplido! ¡La bestia ha llegado! ¡Se acerca el fin!».

Elsie tiró de su abrigo.

—No es una bestia, señor, sino un mamut lanudo.

El anciano le atizó en la cabeza con la Biblia.

¡ZASCA!

—¡Maldita niña!

Elsie se escabulló del hombre como pudo, y de paso aprovechó para robarle un trozo de queso mohoso del bolsillo. Justo cuando había alcanzado la verja del museo, un policía la obligó a retroceder de un empujón.

—¡Largo de aquí, pilluela asquerosa! —vociferó el hombre, y la apartó con malos modos.

—¡AAAY! —gritó la niña, y se cayó de espaldas.

—Aquí no queremos a los de tu calaña. ¡Que te largues, he dicho!

Elsie estaba acostumbrada a que la trataran como a un perro, pero era de ideas fijas y no pensaba darse por vencida, así que, ni corta ni perezosa, trepó por la espalda de un caballero y se encaramó a su sombrero de copa.

¡ALEHOP!

Antes de que el hombre pudiera protestar, saltó del sombrero hasta la rama de un árbol cercano.

¡ZAS!

Con sus pies de mono, Elsie escaló el árbol con facilidad y se subió a la rama más alta. Desde allí, vio cómo un centenar de hombres sacaban la caja del carro y la transportaban hasta el edificio del museo sobre una plataforma con ruedas. Con la ayuda de gruesas cuerdas, empezaron a subirla por la escalinata de piedra.

Las inmensas puertas de madera del museo se habían sacado de los goznes para que la gran caja pudiera pasar. La multitud enmudeció cuando los hombres se disponían a introducirla en el edificio. ¿Podrían hacerlo sin llevarse por delante la fachada del **MUSEO DE HISTORIA NATURAL**?

Una ovación rompió el silencio cuando la caja pasó rozando.

—¡HURRA!

Al poco, empezó a circular el rumor de que iba a venir una persona muy importante a presenciar la llegada del monstruo.

—¿Va a venir aquí?

—¿Quién?

—¡Ya sabes quién!

—¡No me digas!

—¿Te refieres a ella?

—¡Sí, claro!

—Hace siglos que no se deja ver.

—Es muy mayor.

—Pues sí que es un momento histórico.

—¡Tendría que haberme comprado un sombrero nuevo!

Y en efecto, apenas había transcurrido una hora cuando las trompetas empezaron a resonar en las calles cercanas al museo.

¡TARARÍ, TARARÍ!
¡TATARARÍ!
¡TARARÍ, TARARÍ!

La multitud se volvió para ver el carruaje dorado que se acercaba despacio por la calle. Abriendo la marcha, un grupo de soldados a caballo y con el uniforme de gala tocaba las trompetas para anunciar la llegada de esa persona tan importante que iba en el carruaje.

La reina Victoria.

Capítulo 10

MUCHO JALEO

Ese día pasaría a la historia, por lo que no era de extrañar que la persona más poderosa del mundo estuviera presente. La reina Victoria era no solo la soberana de Gran Bretaña e Irlanda, sino que gobernaba un inmenso imperio que se extendía a lo largo y ancho del mundo. Hasta tenía el título de «emperatriz de la India», pese a que nunca había estado allí.

Eran otros tiempos.

Cuando todos los allí reunidos comprendieron que estaban en presencia de la reina, la mujer que llevaba más de sesenta años en el trono, aplaudieron con entusiasmo y lanzaron sus sombreros al aire en señal de alegría.

—¡VIVA LA REINA!

El carruaje dorado torció a la derecha para cruzar la verja del museo, y Elsie no desaprovechó la oportunidad. Mientras el cielo se llenaba de sombreros, saltó desde la rama del árbol...

¡ZAS!

... y aterrizó sobre el tejado del carruaje real.

¡PUMBA!

Entre el ruido y el jaleo provocados por la llegada de la reina, nadie se percató de su grave intrusión.

Elsie se tumbó boca abajo en el tejado del carruaje para que nadie la viera. En 1899, cualquiera que se acercara tanto a Su Majestad sin ser invitado podía acabar pagando su osadía con la más terrible de las muertes.

El carruaje entró a toda velocidad en el recinto del museo y se detuvo al pie de la escalinata de piedra. Elsie levantó un poco la cabeza y se asomó al borde del tejado para mirar.

Miles de rostros se apretujaban contra la verja metálica, miles de súbditos que aclamaban a la soberana con entusiasmo.

—¡VIVA LA REINA!

El carruaje se bamboleó ligeramente cuando Su Majestad se apeó. La reina, que para entonces era una frágil anciana, subió la escalinata de piedra con paso tambaleante, apoyándose en un apuesto ayudante indio con turbante. La soberana vestía de riguroso negro y parecía muy seria. Esto se debía a que estaba de luto por su marido, el príncipe Alberto, que había muerto casi cuarenta años atrás. Oyendo los ruegos de sus súbditos, la reina se volvió despacio y les dedicó un saludo cortés.

—¡VIVA LA REINA!

Mientras la invitada real acaparaba todas las miradas, Elsie se bajó del tejado del carruaje y se escondió detrás de una rueda.

Con tanto jaleo, los caballos debieron de espantarse...

¡HIII, HIII!

... y el carruaje retrocedió un poco. Por un momento, Elsie pensó que moriría pisoteada bajo los cascos de los animales, pero el cochero hizo restallar el látigo...

¡ZAS!

... y ordenó...

—¡SOOO!

Elsie soltó un suspiro de alivio cuando los caballos se detuvieron con una sacudida.

Desde su escondite, la niña vio cómo el director del museo, el rollizo sir Ray Robustiano, saludaba a la *reina Victoria* con una profunda reverencia y la acompañaba al interior del edificio.

Las imponentes puertas de madera se cerraron a su espalda.

CLONC.

De pronto, Elsie ya no se sentía tan lista. Lo único que veía a su alrededor eran las piernas de los policías. ¿Cómo iba a colarse en el museo sin que la descubrieran? Se moría por entrar, pero seguramente tenía más números para llegar a ser el próximo arzobispo de Canterbury.

Estando allí a cuatro patas, preguntándose qué hacer, ocurrió algo de lo más inesperado. El carruaje arrancó y se fue, dejándola completamente expuesta. No había nada tras lo que esconderse, excepto el aire.

El aire es el peor de los escondites, por cierto. He aquí otros que tampoco sirven de mucho:

Una castaña

Una canica

Una avispa

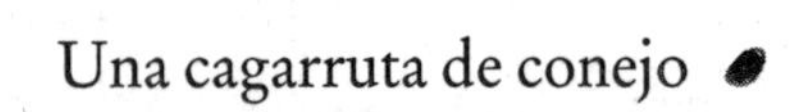

Una cagarruta de conejo

Un guisante

Una pulga

Una mota de polvo

Una ameba

Una cagarruta de ameba

El hombre invisible

Elsie se había metido en un buen lío.

•—✱—•

Capítulo 11

LA RED HUMANA

—¡JA, JA, JA! —rio la multitud congregada delante del **MUSEO DE HISTORIA NATURAL** cuando la pequeña pilluela quedó al descubierto.

Los policías miraban a su alrededor sin entender nada.

—¡AHÍ!

La multitud señaló a la chica, y finalmente los policías vieron lo que tenían delante de las narices.

Formaron un círculo alrededor de la intrusa y fueron acercándose poco a poco.

Desde que vivía en la calle, Elsie se había acostumbrado a huir de la «bofia», como llamaban a la policía quienes pasaban la mayor parte del tiempo esquivándola.

Los agentes se pusieron en cuclillas y abrieron los brazos, convencidos de que la niña intentaría escabullirse pasando entre sus piernas.

—¡Te tenemos rodeada! —bramó el jefe de la policía, el inspector Gruñido. Era un hombre corpulento con un diminuto bigotillo que más parecía un sello pegado sobre el labio superior.

El cerco se iba estrechando.

Los policías entrelazaron los brazos para transformarse en una red humana.

No había escapatoria.

Al ver las porras que colgaban de sus cinturones, Elsie tuvo una idea de lo más atrevida. Justo cuando los policías estaban a punto de echarle el guante, cogió dos de las porras, una con cada mano, y tiró de ellas con todas sus fuerzas.

Esto hizo que los agentes chocaran entre sí y se dieran cabezazos.

¡PUMBA! ¡ZAS! ¡PLOF!

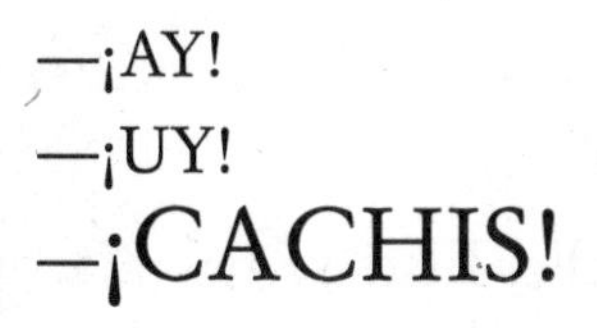

—¡AY!

—¡UY!

—¡CACHIS!

Aturdidos y confusos, los policías se tambalearon y cayeron de espaldas al suelo.

Vista desde arriba, la escena parecía una flor, con Elsie en el centro y los agentes esparcidos a su alrededor como pétalos.

La astucia de la pilluela hizo que la multitud se pusiera de su parte al instante y empezara a animarla.

—¡ASÍ SE HACE!

Nadie quería ver cómo un ejército de policías se imponía a una niña flacucha.

Pero Elsie no tenía tiempo para deleitarse con el entusiasmo de su público. Subió a la carrera la escalinata que conducía a la entrada del **MUSEO DE HISTORIA NATURAL**. Allí, otro pelotón de agentes montaba guardia frente a las inmensas puertas de madera. Los policías desenfundaron las porras, dispuestos a darle una buena paliza a una simple niña.

Como no quería recibir una paliza, ni buena, ni mala (ninguna de las dos sonaba demasiado apetecible), Elsie se deslizó por el pasamanos de la escalinata. A un lado de la entrada al edificio había un tubo de desagüe.

No había tiempo para pensar. Con sus pies de mono, la niña no tardó en escalar la cañería.

—¡BRAVO! —la animó la multitud.

Un osado policía intentó ir tras ella, pero como no tenía la suerte de haber nacido con pies de mono, resbaló nada más empezar a trepar.

¡ F I U U U !

—¡AAAY!

Al caer, su trasero aterrizó justo encima de la cara de otro policía.

¡PUMBA!

—¡GRUNF! —protestó el agente que acabó con la nariz entre las nalgas del otro.

Ni que decir tiene que, ante esta escena digna de los payasos del circo, la multitud se desternilló de risa.

—¡JA, JA, JA!

—¡A POR ELLA, PAZGUATOS! —bramó el inspector Gruñido.

—¡A sus órdenes, señor! —dijo uno.

—¡FORMAD UNA ESCALERA! —ordenó el inspector.

—¿Cómo diantres se hace eso?

—El más pesado abajo.

—Todo un detalle por su parte, señor.

El inspector Gruñido estaba que se subía por las paredes. Su diminuto bigotillo temblaba de ira.

—¡Yo no voy a participar en la escalera! ¡Yo estoy al mando! Venga, el más pesado se pone abajo y sostiene al segundo más pesado, y así sucesivamente.

Los policías empezaron a discutir entre sí. Nadie quería estar en la base de la escalera.

—¡Yo soy el más ligero!

—¡No, ese soy yo!

—¡Tú eres el más pesado, con diferencia!

—¡Pero si he perdido peso!

—Pues yo te sigo viendo gordo.

—Lo que pasa es que tengo la cara redonda.

—¡QUE SE NOS ESCAPA! —berreó el inspector Gruñido.

Elsie casi había llegado a lo alto del tubo de desagüe. El inspector cogió las riendas y decidió rápidamente quién iba dónde en la escalera humana. A regañadientes, los policías empezaron a encaramarse a hombros unos de otros.

Como era de esperar, el improvisado número acrobático no tardó en venirse abajo con gran estrépito.

—¡CUIDADO!

—¡AAAY!

—¡ARGH!

—¡UY, UY, UY!

—¡SOCORRO! ¡Alguien me está chafando las partes!

La multitud estaba encantada con el espectáculo.

—¡BRAVOOO!

Para entonces, Elsie había alcanzado el tejado del museo. Se tomó un instante para dar las gracias a su público con una pequeña reverencia.

La muchedumbre rompió a aplaudir, entusiasmada.

—¡ASÍ SE HACE!

—¡LO HA CONSEGUIDO!

—¡NO TE RINDAS!

La niña corrió por la superficie inclinada del tejado, aferrándose a las losas de plomo con sus piececillos de mono. Por un instante, mientras contemplaba los tejados de Londres, se sintió inmortal. Segundos después una losa suelta resbaló bajo su pie, recordándole lo mortal que era en realidad.

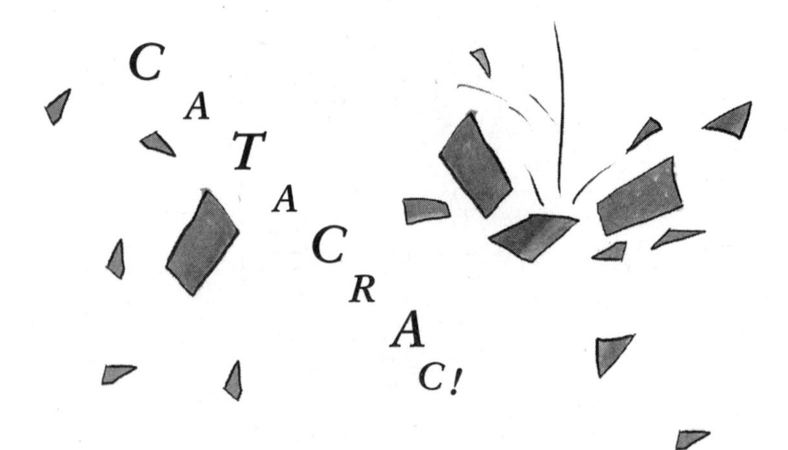

La losa se hizo añicos al estrellarse en el suelo. Elsie se desplomó sobre el tejado...

¡PUMBA!

... y empezó a resbalar por la pendiente a toda velocidad.

—¡AAAH!

La niña rodaba de aquí para allá, tratando desesperadamente de cogerse a algo. Justo cuando estaba a punto de salir volando, se las arregló para agarrarse al canalón. Sin embargo, era tal su velocidad que no logró detener la caída. La mano se le soltó y salió disparada.

—¡NOOO!

Capítulo 12

DIENTES DE SABLE

Elsie cayó al vacío y atravesó la vidriera del tejado del museo.

¡CATACRAC!

Después de bajar rodando unos cuantos escalones, fue a caer sobre una gran vitrina que albergaba el esqueleto de un tigre dientes de sable.

¡CLONC!

El impacto fue tal que la cubierta de cristal de la vitrina empezó a resquebrajarse.

¡RIS, RAS!

Como un relámpago en el cielo, la grieta se extendió por todo el cristal.

¡CLAC, CLAC, CLAC!

En una fracción de segundo, el techo de la vitrina se empañó, convertido en mil añicos.

Elsie sabía exactamente qué pasaría a continuación, pero no podía hacer nada por impedirlo. Tragó saliva. El cristal cedió bajo su peso y la niña cayó al interior de la vitrina, sobre el lomo del tigre dientes de sable.

Ahora estaba atrapada dentro de la vitrina, y con todo el estrépito de la caída, su presencia no pasaría inadvertida en el museo. Hubiese roto una de las paredes de cristal para salir de allí, pero eran demasiado gruesas. Por más que las golpeara con los puños, no podía romperlas.

¡PAM, PAM, PAM!

Diciéndose que era poco probable que el tigre dientes de sable lo echara de menos, arrancó uno de los largos colmillos del esqueleto. Luego blandió el brazo y clavó la afilada punta del colmillo en el cristal con todas sus fuerzas.

¡ZAS!

¡CATACRAC!

La pared de la vitrina se resquebrajó al instante, y las esquirlas de cristal cayeron como la lluvia.

¡PLIC, PLIC, PLIC!

Como ya no necesitaba el colmillo, Elsie volvió a insertarlo en su sitio y dio las gracias al esqueleto del tigre dientes de sable con una palmadita en la cabeza.

—¡Buen chico!

Justo entonces, el sonido de unas pesadas botas resonó en el pasillo.

¡CHIS, CHAS, CHIS, CHAS, CHIS, CHAS!

Debía de ser el jefe de seguridad del museo, el señor Zoquete. Elsie sabía que había llegado el momento de poner pies en polvorosa. Como iba descalza, pasó con cuidado entre los añicos de cristal y se escabulló a toda prisa por un pasillo.

Avanzando pegada a las paredes y apartándose de la luz —algo que había aprendido de los ratones del orfanato—, encontró un balcón que daba al vestíbulo principal.

Desde la última planta del museo, Elsie contempló la **histórica escena.**

Capítulo 13

UN PORRÓN DE CARCAMALES

Allí estaba la reina Victoria, sentada en un majestuoso sillón que la hacía parecer todavía más pequeña de lo que era (y la verdad es que era bastante menuda). A su espalda había un porrón de carcamales con barba blanca, anteojos y cara de pocos amigos. Parecían hombres ilustres: científicos, exploradores, políticos.

El señor Zoquete daba vueltas por la sala como si fuera un tiburón hambriento, listo para abalanzarse sobre cualquiera que osara acercarse a Su Majestad. El inspector Gruñido hacía exactamente lo mismo, por lo que ambos se daban de bruces una y otra vez.

—¡MIRE POR DÓNDE VA!

—¡QUITA DE EN MEDIO, MAJADERO! —vociferó Gruñido.

Oculto tras una cortina de terciopelo rojo, algo grande como una casa se alzaba frente a la diminuta reina.

Un hombre de aspecto imponente se adelantó y se dirigió a los presentes. Era el director del **MUSEO DE HISTORIA NATURAL**, sir Ray Robustiano.

—Su Majestad, lores, caballeros... —empezó.

—¡NO SE OYE! —protestó la reina Victoria a grito pelado.

Elsie se llevó una mano a la boca para reprimir una carcajada. Nunca hubiese imaginado a la reina haciendo algo así.

El pobre sir Robustiano parecía aterrado, como le pasaría a cualquier hijo de vecino si la persona más poderosa del mundo lo interrumpiera para reprocharle algo. El hombre intentó seguir adelante como pudo.

—SU MAJESTAD, LORES AQUÍ PRESENTES, DAMAS Y CABALLEROS... —empezó, pero la voz se le quebraba por culpa de los nervios—. Como director del **MUSEO DE HISTORIA NATURAL**, es para mí un gran honor custodiar lo que sin duda es el mayor hallazgo científico del siglo. Cuando un grupo de exploradores zarpó rumbo al Ártico...

—¡AL GRANO! —gritó la reina.

—Sí, sí, por supuesto, Majestad. Lo siento mucho. Sé que tiene usted todo un imperio que gobernar. ¿Querrá hacernos el inmenso honor de descubrir la criatura apodada como el «**MONSTRUO DE LAS NIEVES**», que lleva miles de años perfectamente conservada en el hielo?

No sin esfuerzo, la reina se levantó. Su apuesto secretario, Abdul Karim, acudió a ayudarla.

—¡Puedo hacerlo sola, Munshi,* muchas gracias! —le espetó la soberana.

—Como desee, Majestad —repuso el joven humildemente.

—Bueno, pensándolo mejor, ¿me echas una mano? —dijo la reina. Parecía poco estable.

Abdul le ofreció el brazo para que se apoyara y la reina avanzó con paso lento y pesado.

* «Munshi» era el apelativo cariñoso por el que la reina Victoria llamaba a Abdul. Significa «secretario» en persa, aunque él era mucho más que un simple secretario para ella.

—Es con gran placer —empezó la soberana— que declaro inaugurado este mamut lanudo.

Dicho esto, tiró de una cuerda y la cortina de terciopelo cayó al suelo.

S I L E N C I O.

Ahí estaba.

En toda su gloria.

Encerrado en una inmensa vitrina de cristal.

Suspendido en el hielo.

El mamut.

Perfectamente conservado.

Parecía imposible que llevara diez mil años muerto. A juzgar por su aspecto, podía haber perdido la vida el día anterior.

La criatura parecía un cruce entre un elefante y un osito de peluche. Tenía colmillos **largos** y curvados hacia arriba, como los bigotes de muchos de los vejestorios que se habían reunido ese día en el museo. Entre los colmillos, colgaba una larga trompa peluda. El cuerpo del mamut estaba cubierto de áspero pelo marrón, y en lo alto de la cabeza tenía un mechón más poblado y oscuro, como si fuera una peluca. Sus patas, tan gruesas como troncos de árboles, descansaban sobre cuatro enormes y pesadas pezuñas. Tenía los ojos abiertos: eran pequeños y negros, con forma de lágrima.

Lo que sintió Elsie al verlo fue **amor** a primera vista.

Era lo más hermoso que había visto en su vida.

El corazón le latía con fuerza y las imágenes se sucedían en su mente a toda velocidad.

Se veía acariciando el pelaje del animal, montada a su espalda, meciéndose en su larga y peluda trompa.

Justo cuando estaba a punto de perderse en ese mundo de ensueño, Elsie notó la presencia de alguien a su lado. Se quedó paralizada de miedo. No podía ni volver la cabeza para mirar. Entonces sintió que una mano se posaba sobre su hombro. Abrió la boca para gritar...

—¡GRUNF!

... pero no pudo hacerlo.

Una mano se lo impedía.

•—✱—•

Capítulo 14

MÁS MUERTA, IMPOSIBLE

—¡Chisss! —susurró alguien a su espalda—. Harás que te descubran.

Elsie conocía esa voz. Pertenecia al único adulto que le había hablado con dulzura desde que tenía uso de razón: LUCY.

Elsie se dio la vuelta y susurró:

—Menos mal que eres tú.

—Todo el mundo, y quiero decir todo el mundo, anda buscándote, señorita.

—Lo sé. No debería estar aquí.

—¡No me digas! —replicó la mujer de la limpieza—. Yo tampoco, la verdad sea dicha. Una humilde fregona no puede estar en la misma habitación que Su Majestad la reina.

—¿Su Majestad la reina?

Lucy miró a la niña como si hubiese perdido la chaveta.

—Eso he dicho. Pero tenía que venir a verla. Adoro a la reina. —Lucy miró a la soberana con gran orgullo—. Ahora que lo pienso, tengo que comprar sellos.

Dos plantas más abajo, la reina contemplaba a la criatura congelada.

—Vaya, vaya, vaya... ¿Así que este es el famoso «**MONSTRUO DE LAS NIEVES**»?

—Sí, Majestad —contestó el director—. El museo ha realizado una gran hazaña de ingeniería para conservar el cuerpo del animal tal como está. Esa tubería que baja desde el techo suministra aire frío a la vitrina a través de una escotilla para impedir que el hielo se derrita.

—Lo veo un poco pequeño para ser un monstruo.

Una vez más, la anciana había interrumpido a sir Robustiano.

—Bueno, mmm... ejem... —farfulló—, mis más sinceras disculpas, Majestad, pero seguramente este ma-

mut no tendrá más de un año de vida. En realidad, es un cachorro.

La reina parecía absorta en sus pensamientos.

—¿No tenéis ninguno más grande? —preguntó.

Sir Robustiano miró a su alrededor con la esperanza de que alguno de los grandes hombres allí presentes le echara una mano, pero fue en vano.

—Mmm... pues... no. Me temo que no, Majestad. Descubrir una criatura prehistórica, no digamos ya en perfecto estado de conservación, es extremadamente raro. Estamos ante el hallazgo científico del siglo.

—Ya veo. A mi querido marido el príncipe Alberto, que en paz descanse, le hubiese gustado verlo. Qué lástima que no esté aquí conmigo para disfrutarlo. Le encantaban los animales. Yo, en cambio, soy más amante de la ópera, ¿verdad que sí, Munshi?

Su distinguido ayudante esbozó una sonrisa.

—Tenéis una voz única, Majestad.

La respuesta, cargada de ironía, hizo reír a la anciana.

—¡JA, JA, JA!

Y la carcajada pronto dio paso a un acceso de tos.

—¡Cof, cof, cof!

Abdul sostuvo a la reina mientras tosía. Parecía preocupado.

—Gracias, Munshi. No sé qué haría sin ti.

—Ni yo sin **VOS**, Alteza.

La insólita pareja intercambió una sonrisa de complicidad, y luego la reina se volvió de nuevo hacia el mamut.

—¿Y hace algo? —quiso saber.

—Mil perdones, Majestad, pero ¿a qué os referís? —repuso sir Robustiano, que para entonces tenía la frente bañada en sudor.

—No sé, ¿algún truco de circo? —aventuró la soberana, emocionada como una chiquilla.

El director del museo hizo una pausa antes de contestar.

—Por desgracia no, Majestad. Esta criatura lleva diez mil años muerta. Podríamos decir que está no solo MUERTA, sino MUERTÍSIMA. Más MUERTA, imposible.

—Vaya. Pues qué lástima. Supongo que tiene su encanto, para quien sepa apreciar estas cosas. Como yo, sin ir más lejos.

Sir Robustiano parecía sentirse incómodo.

—¿Tenéis alguna otra pregunta, Majestad?

La reina se lo pensó por unos instantes.

—¿Cuándo nos servirán el té y las pastas? He cruzado medio Londres para llegar hasta aquí. Últimamente no me apetece demasiado salir del palacio. A mi edad, ya no está una para muchos trotes, pero he venido ilusionada por la promesa de tomar té con pastas en el museo, y hasta el momento no he visto ni una miserable galleta.

—Me refería a si queríais preguntarme algo más sobre el MAMUT, Majestad.

—¿El qué?

—La criatura aquí presente.

—No —replicó la reina con su habitual brusquedad.

—Es una pena que ya esté MUERTO —resonó una voz grave desde algún rincón oscuro—. Porque me encantaría pegarle un tiro.

Todas las miradas se volvieron hacia la persona que había interrumpido a Su Majestad la reina de un modo tan grosero.

Capítulo 15

EL NEGOCIO DE LA EXTINCIÓN

De entre las sombras apareció una silueta que llevaba salacot, botas acordonadas hasta las rodillas y chaqueta militar. Una voluta de humo de tabaco la seguía allá donde iba.

—¿Quién diantres es? —preguntó la reina, entornando los ojos.

—Oh, n-no... —balbució sir Robustiano.

—¿Quién es?

—Lady Perdigón, la cazadora de grandes bestias salvajes, Majestad —contestó el hombre.

—¡Oh, no! —exclamó también la reina.

Un murmullo indignado recorrió el gran vestíbulo.

—¿Qué hace aquí? —insistió la reina.

—Verá, Majestad... —contestó la cazadora—, yo he matado a todos y cada uno de los animales disecados del museo.

—Lástima que no fueran armados, para devolverle los disparos —susurró la reina a Abdul, lo bastante alto para que la oyera lady Perdigón.

—¡JA, JA!

Abdul no pudo evitar reírse.

—Es una verdadera pena que este monstruo ya haya pasado a mejor vida —empezó lady Perdigón—. Me habría dado un gran placer meterle una bala justo entre los ojos.

—Bueno... ejem... esto, lady Perdigón... —farfulló sir Robustiano—. El mamut, como especie, lleva siglos extinto.

—A mí me va el negocio de la extinción —replicó la cazadora—. Si pudiera, me cargaría a todas y cada una de las criaturas salvajes del planeta.

—¡Qué encanto de mujer! —dijo la reina con retintín—. Y bien, ¿dónde están el té y las pastas?

Sir Robustiano aprovechó la ocasión.

—El té y las pastas se servirán a continuación en la galería. Si sois tan amable de acompañarme...

La reina cogió el brazo de Abdul y se fue del vestíbulo con su paso cansino.

Los ilustres invitados a la ceremonia la siguieron al instante, dejando a lady Perdigón a solas con el mamut. Desde lo alto de las escaleras, Elsie y Lucy vieron cómo se plantaba delante de la gran vitrina. Una vez allí, fingió que cogía una escopeta, la cargaba y disparaba.

—¡BANG!

Hasta imitó el sonido del disparo, y luego movió las manos como si los sesos del mamut se desparramaran a su alrededor.

—¡Ja, ja, ja! —rio para sus adentros antes de volver a perderse entre las sombras.

Solo quedaban Elsie y Lucy en el vestíbulo principal.

—¡Estoy temblando! —confesó Elsie, agarrándose a la barandilla. El humo del puro de lady Perdigón había llegado hasta allí arriba con su olor repugnante.

—Yo también. Es más mala que la quina. Siempre anda arrastrando a algún pobre tigre o león al que ha matado, y encima disfruta haciéndolo.

—Bueno, ahora que se ha ido, ¿le echamos valor? —preguntó la niña.

—¿Le echamos valor a qué? —preguntó la mujer de la limpieza.

—¿A bajar para ver al mamut más de cerca?

Lucy negó con la cabeza.

—Ay, Elsie, acabarás metiéndome en un lío de narices.

—Venga, echaremos un vistazo muy muy pero que muy rápido.

Dicho así, era difícil negarse.

—¿Un vistazo muy rápido? —preguntó Lucy.

—Una ojeada, en realidad.

—¿Un visto y no visto?

—Más rápido aún.

—¿Un pestañeo?

—¡EXACTO! —exclamó Elsie.

Lucy suspiró resignada.

—De acuerdo, vayamos a echar un vistazo al tal marabú.

—Creo que se dice «mamut» —corrigió Elsie.

—Ya, marabú. ¡Eso es lo que he dicho!

Elsie sonrió y tiró de la mujer por la manga.

—Por aquí, Lucy...

Capítulo 16

CACHETES ARDIENDO

—¡No pienso bajar por el pasamanos! —protestó Lucy.

—¡Pero si es la forma más rápida de bajar! —replicó Elsie.

No era de extrañar que la mujer se resistiera. Había mucha distancia desde el último piso del museo hasta la planta baja.

—En el tiempo que llevamos aquí discutiendo, ya podríamos estar allá abajo —razonó Elsie.

La niña se encaramó al pasamanos. Lucy suspiró, y luego se levantó la falda y la siguió.

—Esto es una pésima idea —dijo la mujer.

Pero era demasiado tarde.

¡FIUUU!

—¡Ay! ¡Tengo los cachetes ardiendo! —protestó Lucy.

—¡AGUANTA! —replicó Elsie.

No tardaron en salir despedidas del pasamanos.

La pequeña aterrizó en el suelo.

¡PUMBA!

Lucy aterrizó encima de ella.

¡CATAPUMBA!

Fascinada, Elsie se acercó al **MONSTRUO DE LAS NIEVES**. Lo único que la separaba de una especie que se había extinguido miles de años atrás eran unos centímetros de cristal y hielo.

—No deja de ser curioso... —musitó Lucy.

—Yo creo que es una preciosidad —susurró la niña—. Es como el peluche más grande y adorable del mundo entero.

Lucy se echó a reír.

—No estoy segura de que fuera muy adorable si estuviera vivo. Y ahora vámonos. Tenemos que salir de aquí antes de que vuelva el señor Zoquete.

La niña no se movió.

—Elsie. ¡ELSIE!

Lucy tiró de su brazo.

—Tenemos que irnos.

—No quiero dejarlo aquí solo —replicó Elsie.

—¿Pero qué dices? —Lucy no podía creer lo que estaba escuchando.

—Parece triste.

—¡Tú también estarías triste si llevaras diez mil años muerta!

—Déjame subirme a tus hombros.

—¿Cómo dices?

—Tengo que echarle un vistazo más de cerca.

—Jovencita, lo que tenemos que hacer es salir de aquí ahora mismo, antes de que vuelva Su Majestad la reina.

—Te prometo que será muy rápido —imploró Elsie—. ¡Un periquete!

—¡Que no! ¡Vámonos de una vez!

Lucy intentó llevársela a rastras, pero Elsie era mucho más rápida que ella. Antes de que la mujer se diera cuenta, ya había trepado por su espalda.

—¿Pero qué diantres...?

—¡Sujétame los tobillos! —ordenó Elsie.

La niña se puso en pie sobre los hombros de Lucy, que la sujetaba a regañadientes, hasta quedar a la misma altura que el mamut. Entonces pegó la nariz al cristal frío y miró fijamente uno de sus ojillos negros.

—¿Qué estás haciendo ahí arriba? —preguntó Lucy.

Lo cierto es que Elsie no sabía muy bien qué hacía allí arriba. Lo único que sabía era que estaba paralizada. No podía mover un solo músculo. Era como si también ella estuviera congelada.

—¡Tenemos que irnos! —imploró Lucy.

Pero Elsie seguía mirando a la criatura a los ojos. Y entonces ocurrió algo verdaderamente mágico. Fue un instante que lo cambiaría todo para siempre. Una gota de agua se formó en el ojo del mamut.

—¡Está llorando! —exclamó Elsie desde arriba.

—¡Santo cielo! Estás empezando a imaginar cosas, jovencita. Ese marabú no ha llorado desde antes incluso de que yo naciera. Mucho antes. ¡Baja de una vez!

—Todavía no.

—¿Cómo que no?

—Pues como que no.

Entonces unos pasos pesados resonaron al fondo del pasillo.

¡CHIS, CHAS, CHIS, CHAS, CHIS, CHAS!

Zoquete les seguía la pista.

—¡Tenemos que irnos ahora mismo! —exclamó Lucy, y acto seguido echó a correr tan deprisa como pudo, con la niña todavía encaramada a los hombros.

—¡EEEHHH! —exclamó Elsie, intentando no perder el equilibrio.

¡CHIS, CHAS, CHIS, CHAS, CHIS, CHAS!

¡CHIS, CHAS, CHIS, CHAS, CHIS, CHAS!

—¿QUIÉN ANDA AHÍ? —bramó Zoquete desde el pasillo.

Elsie se deslizó hacia abajo por la espalda de Lucy. Ahora iba a caballito.

—¡Arre, arre! —ordenó la niña, y juntas huyeron a toda prisa.

·⁓✳⁓·

Capítulo 17

EXTRAÑAS CRIATURAS

Durante los muchos años que había trabajado allí, Lucy había limpiado hasta el último rincón del **MUSEO DE HISTORIA NATURAL**. Por eso conocía los mejores escondrijos.

—¡Por aquí! —susurró mientras bajaba con Elsie por unos escalones de piedra. Abajo, había una inmensa puerta metálica con un letrero que ponía:

Lucy sacó del bolsillo un manojo de llaves que tintinearon al chocar entre sí.

—Es una de estas —dijo para sus adentros.

—¿Pero cuál? —preguntó Elsie.

—Sé que es metálica.

—¡Todas lo son! ¡O no serían llaves! Dame eso.

Elsie arrebató las llaves de las manos de Lucy y, tras varios intentos, encontró la que encajaba. La abrió, hizo pasar a Lucy y luego, lo más sigilosamente que pudo, cerró la puerta tras ella y giró la llave en la cerradura.

CLONC.

A través de la gruesa puerta metálica, ambas oyeron el sonido de unos pasos bajando por la escalera.

¡CHIS, CHAS, CHIS, CHAS, CHIS, CHAS!

Alguien cogió el pomo...

... y la puerta TRAQUETEÓ, sacudida desde fuera.

Las dos amigas contuvieron la respiración.

Entonces oyeron el sonido de pasos subiendo por la escalera.

CHIS, CHAS, CHIS, CHIAS, CHIS, CHAS...

Soltaron un suspiro de alivio.

—Menos mal que Zoquete no llevaba su manojo de llaves encima —susurró Elsie.

—No podía —replicó Lucy—, ¡porque las tengo yo! —añadió enseñándoselas—. Había perdido las mías, así que cogí las suyas «prestadas».

—¡Qué lista eres, Lucy!

—¡Soy mucho más que una cara bonita! —dijo la mujer.

Elsie sonrió. Lo mejor que podía hacer era no contestarle.

—Y bien, ¿dónde estamos?

—En el **MUSEO DE HISTORIA NATURAL** de Londres.

—¡Eso ya lo sé, Lucy! Lo que quiero saber es en qué parte del **MUSEO DE HISTORIA NATURAL** de Londres.

—Ah, en el almacén. Ven, no te alejes de mí...

Si las plantas de arriba estaban repletas de cosas asombrosas, las de abajo todavía más. En el almacén se acumulaban todos aquellos objetos que se consideraban demasiado estrambóticos para exhibirlos en las salas del museo.

Lucy y Elsie pasaron por delante de una serie de extrañas criaturas conservadas en vitrinas. Había un tiburón con dos cabezas, una tortuga gigante del tamaño de una cría de elefante y una serpiente larguísima enrollada sobre sí misma. También había dos búhos siameses disecados, un gran pedrusco rojizo que parecía haber llegado de otro planeta...

... y un huevo tan grande que podía ser de un megalosaurio. Sobre un pedestal, descansaba una calavera humana prehistórica. Tenía un aspecto muy raro, entre humano y simiesco.

—¿Qué es eso? —preguntó la niña.

Lucy se acercó.

—Ni idea. Pero yo que tú no lo tocaría. Da mucha grima.

—Si esta calavera te da grima, es que nunca has visto a la señora Agria.

—¿A quién?

—La directora del orfanato del que me escapé. ¡Y tiene verrugas más grandes que esto!

Elsie apoyó la mano en lo alto de la calavera, que se movió ligeramente. Intrigada, la niña comprobó que la parte superior del cráneo giraba sobre la inferior.

¡CREC!

¡De repente, Lucy y Elsie comprendieron que estaban dando vueltas!

¡Al girar la calavera, Elsie había abierto una trampilla secreta!

Ahora estaban **sumidas** en una oscuridad absoluta.

—¡Aaay! —chillaron al unísono.

Capítulo 18

COMO BOCA DE LOBO

—¡Algo me está sujetando! —gritó Lucy.

—¡A mí también! —chilló Elsie.

—¡SOCORRO! —gritaron a la vez.

—Creo que a lo mejor nos estábamos cogiendo la una a la otra —apuntó la niña.

—Ah, es verdad.

—¿Nos soltamos?

—De acuerdo.

Dicho y hecho.

—Mejor así —dijo Lucy.

—¿Dónde estamos? —preguntó Elsie.

—En el **MUSEO DE HISTORIA NATURAL**.

—¡ESO YA LO SÉ!

—¡MUY BIEN!

—Lo que quiero saber es en qué parte del museo estamos.

—¡Ni idea! —contestó Lucy—. Llevo media vida limpiando el museo y nunca había estado aquí. Debe de ser una cámara secreta.

—¡Una cámara secreta! ¡Carambolas! —Elsie no podía ocultar su emoción—. ¡Vamos a explorarla!

—Ve tú primero —dijo Lucy—. Yo iré justo detrás de ti, por si alguien nos ataca desde la retaguardia.

—Dame la mano —contestó Elsie, al darse cuenta de que la mujer estaba asustada.

Juntas se abrieron paso en la habitación a oscuras, yendo hacia lo que parecía un débil resplandor. Al acercarse, comprendieron que provenía de una vieja botella cubierta de polvo y telarañas. La niña sopló para ver su contenido. Una luz se titilaba bajo el cristal. Era como si hubiese un fantasma atrapado en su interior.

—Está viva... —aventuró Elsie.

—¿Cómo va a estar viva una botella?

—No lo sé. Pero mira: hay algo dentro.

Lucy escudriñó la botella.

—Qué raro... Hagas lo que hagas, ¡NO LA TO-QUES!

Como casi todos los niños, Elsie tenía un oído selectivo y decidió **no** escuchar a Lucy. Alargó la mano y tocó la botella.

—¡Ay! —chilló, y apartó la mano.

—¿Qué te acabo de decir?

—¡Está ardiendo!

La niña estiró la manga del abrigo para cubrirse los dedos y no volver a quemarse.

—Me pregunto qué habrá dentro...

—Hagas lo que hagas —repitió Lucy—, NO LA ABRAS.

Una vez más, la niña decidió hacer oídos sordos y empezó a sacar el corcho de la botella despacito.

—¡He dicho que NO lo hagas! —repitió Lucy.

¡POP!

Un rayo de luz salió disparado de la botella, alumbrando la cámara por un instante con un intenso resplandor blanco.

¡ZAS!

—¡ELSIE! —gritó Lucy.

Era demasiado tarde.

El deslumbrante rayo alcanzó a Elsie, y todo su cuerpo SE ILUMINÓ.

Una
especie de
descarga
eléctrica la
sacudió
de pies a cabeza.

—¡AAAHHH! —chilló. Tenía el pelo de punta y le salía humo por las orejas.

¿Estaría a punto de explotar?

Y entonces, tan súbitamente como había aparecido, el rayo de luz desapareció. Elsie se desplomó en el suelo como un saco de patatas. CLONC.

¡CHOF!

Cuando volvió en sí, Elsie estaba toda mojada. O mejor dicho, empapada. Al abrir los ojos, vio a Lucy de pie junto a ella, sujetando un cubo.

¡CHOF!

Otro cubo de agua helada cayó sobre ella.

¡CHOF!

¡Otro más!

Luego la mujer empezó a darle palmadas en la cara.

¡PLAF, PLAF, PLAF, PLAF, PLAF, PLAF!

—¡Despierta, Elsie! ¡DESPIERTA! ¡Por favor, no te me mueras!

—¡QUE SÍ, QUE SÍ! ¡ESTOY DESPIERTA! —gritó la niña.

Lucy la zarandeó solo para asegurarse.

—¡¿QUIERES DEJARME TRANQUILA?!

—¡Lo siento! —dijo Lucy.

—¿Qué demonios había en esa botella? Leer no es mi fuerte.

Lucy leyó en alto lo que alguien había garabateado en la etiqueta: «*Rayo*».

—¿Un rayo en una botella?

—Eso es lo que pone aquí.

—¿Cómo va a haber un rayo encerrado en una botella? Eso es imposible.

—No hay nada imposible, pequeña —dijo una voz en la oscuridad.

Capítulo 19

ATRAPAR UN RAYO EN UNA BOTELLA

En la cámara secreta, las dos intrusas se quedaron paralizadas de miedo mientras una silueta en silla de ruedas salía despacio de entre las sombras sosteniendo una lámpara de aceite. Era un hombre tan anciano que más parecía una tortuga. Estaba completamente calvo y llevaba unas gafas de medialuna apoyadas en la punta de la nariz. Vestía una vieja bata de laboratorio mugrienta por encima de un traje chaqueta de tweed tan desgastado que parecía a punto de rasgarse por las costuras. Calzaba unas viejas zapatillas de estar por casa y unos mitones cubrían sus manos callosas.

—¡Es usted! —exclamó Lucy—. ¡Todo el mundo lo da por muerto!

—¡Como ves, humilde fregona, estoy vivito y coleando!

—¿Quién es? —preguntó Elsie.

—¡Soy el profesor! —anunció el hombre, dándose aires.

—¿Profesor de qué? —preguntó la niña.

—¡Buena pregunta! —dijo Lucy—. En el museo todos lo conocían. Era uno de los mandamases del lugar, hasta que...

—¡Bueno, bueno! —la interrumpió el profesor—. No hace falta sacar ese tema.

—¿Qué tema es ese? —preguntó Elsie, muy intrigada.

—¡El profesor estuvo a punto de prender fuego a todo el museo con uno de sus alocados experimentos! —reveló Lucy.

El hombre se puso colorado. Tenía el rostro rojo como un tomate.

—¡Eso no fue lo que pasó, ni mucho menos, estúpida mujerzuela!

—¿Y qué pasó entonces, señor sabelotodo? Aunque está claro que no sabe tanto como cree.

La niña no pudo evitar sonreír al ver a dos adultos discutiendo como niños.

El profesor se movió por el laboratorio secreto en su silla de ruedas, encendiendo varias velas de una en una.

Al poco, Elsie y Lucy empezaron a distinguir los contornos de una sala que no se parecía a ninguna de las que habían visto hasta entonces.

Había tubos de ensayo por todas partes, viejos frascos cubiertos de polvo que contenían líquidos misteriosos y fórmulas científicas garabateadas con tiza por todas las paredes. Era como estar dentro de la mente del anciano.

Una mente genial pero también loca de remate.

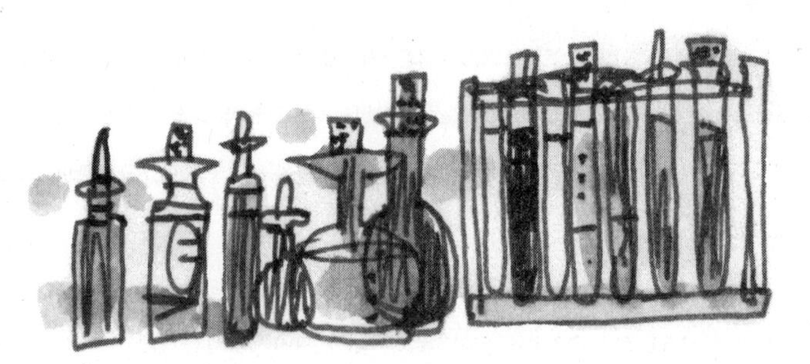

—Aquel día estaba llevando a cabo un experimento revolucionario para aprovechar la energía de los rayos —explicó el profesor—, algo en lo que llevaba muchos años trabajando. Una noche de tormenta, hace ahora diez años, eché a volar un pequeño globo aerostático con un remate metálico que iba atado a un cable de cobre. El cable bajaba hasta la botella que ahora está en el suelo hecha añicos.

—¿Y qué pasó? —preguntó Elsie, intrigada.

—Yo te diré lo que pasó —intervino Lucy.

—¡Si no te importa, yo me encargo de contar mi propia historia, obtusa mujerzuela! —estalló el profesor.

—No tengo ni idea de qué significa «obtusa» —protestó la mujer—, ¡pero más le vale que no sea nada malo!

—Mi experimento fue un éxito rotundo —continuó el profesor—. Conseguí atrapar un rayo en una botella. Es lo que te ha dado esa pequeña descarga eléctrica.

—¡¿Pequeña?! —exclamó Elsie.

—Si fuera de las grandes, te habría matado —dijo el anciano—. Habrías caído fulminada en una fracción de segundo.

Elsie tragó saliva.

—Pero si el experimento fue un éxito rotundo, ¿cómo es que se quedó sin trabajo? —insistió la niña.

—¡Eso, eso! —murmuró Lucy.

—¡SILENCIO! —ordenó el profesor—. El cable de cobre se quedó enganchado en una de las torres del museo. Otro rayo mucho más fuerte que el primero alcanzó el globo y prendió fuego a la torre.

Lucy no pudo reprimirse:

—Menos mal que estaba lloviendo a cántaros esa noche. De lo contrario, todo el museo hubiese sido pasto de las llamas.

El profesor guardó silencio por unos instantes, y luego bajó la cabeza, abatido.

—Me llevaron ante el director y me dejaron muy claro que nunca podría volver a trabajar como científico. ¡Me pusieron de patitas en la calle! Pero el museo era mi vida, no tenía adónde ir, así que me refugié aquí abajo.

—Ha pasado tanto tiempo que todos lo habíamos dado por muerto.

—Es como si lo estuviera —murmuró el anciano—. Solo me queda languidecer en la oscuridad y esperar el final. Mi sueño de convertirme en uno de los científicos más famosos del mundo quedó reducido a un montón cenizas. ¡Antes consigo atrapar un rayo en una botella!

En ese instante, la carita de Elsie se iluminó. Una idea había cruzado su mente. Era tan descabellada que resultaba genial, y tan genial que resultaba descabellada.

—Creo que aún es posible que su nombre pase a la posteridad.

—¿Cómo? —farfulló el anciano.

—Ayudando a devolver la vida a una

criatura prehistórica.

•⁓✱⁓•

Capítulo 20

FUEGO OSCURO

—¡Que no sea el tigre dientes de sable! —exclamó Lucy.

—¡Claro que NO! —dijo Elsie entre risas—. ¡Si no es más que un esqueleto!

—Es verdad. No creo que a estas alturas se pueda hacer gran cosa por él. No te referirás al marabú, ¿verdad?

—Sí, me refiero al **MAMUT** —replicó la niña, corrigiéndola.

—Eso he dicho —protestó la mujer—. Marabú. ¿Quieres traer al que está arriba de vuelta a la vida?

—¡SÍ!

—¿Así que tenemos una nueva adquisición? —quiso saber el profesor—. Me preguntaba a qué venía tanto jaleo.

—¡Traerlo de vuelta a la vida es una locura! —exclamó Lucy.

—¿Una locura buena o una locura mala? —preguntó Elsie.

—¿Acaso las hay buenas?

—¡PUES CLARO!

Escucha, esa criatura lleva diez mil años perfectamente conservada en el hielo. Parece que haya estirado la pata ayer mismo, ¿a que sí?

Lucy asintió en silencio.

—Pues yo creo que si le damos una descarga eléctrica de las grandes con el artefacto atraparrayos del profesor, es posible que su corazón vuelva a latir.

Elsie y Lucy miraron al profesor. Al fin y al cabo, él era el experto en la materia, aunque había estado a punto de quemar el **MUSEO DE HISTORIA NATURAL**. Un fuego oscuro iluminó sus ojos de anciano. Parecía hipnotizado mientras el plan empezaba a tomar formar en su mente.

—¡Qué idea tan genial se me acaba de ocurrir! —murmuró.

Elsie no salía de su asombro. ¿Acaso no había sido idea suya?

—¡Puedo usar la tecnología atraparrayos para crear vida! El sueño de todos los científicos desde que el mundo existe: ¡ser Dios!

—Creo que se le ha subido un poco a la cabeza... —murmuró Lucy.

—Pasaré a la historia como el mayor científico de mi tiempo. ¡Qué digo, de todos los tiempos! ¿Isaac Newton? Se le cayó una manzana en la cabeza y se le ocurrió la idea de la gravedad. ¿A quién le importa? ¿Nicolás Copérnico? Descubrió que la Tierra gira en torno al Sol y no al revés. ¡Menuda chorrada!

¿Charles Darwin? Cambió completamente nuestra forma de concebir la vida en la Tierra con su teoría de la evolución. ¿Y qué? Romperán vuestros libros, quemarán vuestros retratos y tirarán vuestras estatuas ¡para ponerme a MÍ, A MÍ, A MÍ! ¡SÍ! ¡SERÉ EL REY DEL MAMBO!

Entonces se produjo un incómodo silencio.

—¿Ha terminado? —preguntó Elsie.

El profesor hizo una pausa para pensárselo.

—Sí. Vosotras seréis mis ayudantes. Tenéis que hacer todo lo que os diga y, llegado el caso, dar la vida en nombre de la ciencia. ¡Manos a la obra! No hay tiempo que perder.

El anciano se puso a trastear en el laboratorio, pasando toda clase de bártulos científicos a Elsie, que lo seguía de aquí para allá como un cachorrillo ilusionado. Lucy contemplaba la escena sin dar crédito.

—¿Habéis perdido la chaveta? —preguntó.

—La locura es tan solo otro estado de conciencia —replicó el profesor.

—Ni más ni menos —asintió la niña, aunque no había entendido una sola palabra.

—Supongamos que os las arregláis para atrapar un rayo y traer al marabú de vuelta a la vida...

—Mamut —corrigió Elsie.

—Marabú, eso es lo que he dicho. Si lo conseguís, ¿qué vais a hacer con él?

Era una buena pregunta, y consiguió que tanto el profesor como Elsie se pararan a reflexionar.

—Mmm... —caviló la niña—. ¿Qué te parece si el mamut se va a vivir contigo?

Lucy se puso hecha un basilisco.

—¿¿¿Conmigo??? Yo vivo en una buhardilla alquilada en una casa de huéspedes donde está **estrictamente prohibido tener gatos y perros.**

—¿Y está **ESTRICTAMENTE PROHIBIDO TENER MAMUTS**? —preguntó Elsie.

—¡Claro que no!

—Pues entonces...

—¡Tampoco está ESTRICTAMENTE PROHIBIDO TENER DINOSAURIOS! Para mí que la casera no vio la necesidad de prohibir a los huéspedes que tuvieran animales que llevan millones de años extintos.

—Bueno, si no puede quedarse contigo, que se venga conmigo —dijo Elsie.

—Tú no tienes donde vivir.

—En ese caso, podemos dejarlo en libertad.

Elsie se dio cuenta de que el profesor sonreía para sus adentros. Ocultaba algo, pero ¿el qué?

—Esos detalles mejor los dejamos para más adelante —dijo—. Lo primero es traerlo de vuelta a la vida. Veamos, ¿dónde habré puesto el cable de cobre...?

Lucy cogió el artefacto científico, fuera lo que fuera, que Elsie tenía en las manos y lo dejó sobre la mesa.

—Vámonos, Elsie. Esto va a acabar como el rosario de la aurora —dijo la mujer.

Lucy cogió a la niña de la mano y la arrastró hasta la trampilla secreta.

—Por favor, Lucy, te lo ruego —suplicó el profesor—. ¡Yo también necesito vuestra ayuda!

—¡QUE NO!

—¡POR FAVOR!

—¡NI HABLAR DEL PELUQUÍN!

Al otro lado de la puerta, se oyeron otra vez unos pasos pesados.

¡CHIS, CHAS, CHIS, CHAS, CHIS, CHAS!

Las dos amigas enmudecieron.

—¡Chitón! —dijo Elsie—. Es Zoquete.

—No sabe que estoy aquí —replicó el profesor en susurros—. Nadie lo sabe. Como os haya seguido...

—¡Chitón! —ordenó la niña.

Ninguno de los tres movió un solo músculo mientras los pasos avanzaban hasta detenerse justo al otro lado de la trampilla secreta.

¡CHIS, CHAS, CHIS, CHAS, CHIS, CHAS!

Entonces se oyeron unos golpecitos.

TOC, TOC, TOC...

Lucy se llevó una mano al pecho. Temía que los latidos de su corazón la delataran.

TOC, TOC, TOC...

Elsie era toda una experta en aquello de esconderse. El truco era no respirar. Alargó la mano para tranquilizar a la mujer. Lucy juntó las palmas de las manos, cerró los ojos y rezó para sus adentros.

TOC, TOC, TOC...

¿Habría descubierto Zoquete que había algo detrás de la trampilla secreta?

Todavía no.

Volvieron a oír el sonido de sus botas, esta vez alejándose.

CHIS, CHAS, CHIS, CHAS, CHIS, CHAS...

—O mucho me equivoco, o el señor Zoquete volverá —susurró el profesor—. Tendremos que trabajar a la velocidad del rayo si queremos traer al monstruo de vuelta a la vida.

—¿Qué podría salir mal...? —murmuró Lucy.

· ⁂ ·

Capítulo 21

MIL PAÑUELOS DE SEDA

En el laboratorio secreto, el profesor expuso su **descabellado** plan.

—Tenemos que fabricar un globo aerostático gigante con pañuelos de seda y echarlo a volar por encima del museo en una noche de tormenta. Elsie, tú robarás los pañuelos de seda. ¿Has robado alguna cosa en tu vida?

—Alguna que otra vez... —mintió la niña—. ¿Cuántos pañuelos necesita?

—Mmm... No más de mil.

—¿¿¿HA DICHO MIL???

—Pañuelo arriba, pañuelo abajo.

—¿De dónde se supone que voy a sacar mil pañuelos de seda?

—De mil damas y caballeros de clase alta, por supuesto. Veamos, también necesitaré una pieza de metal redonda —continuó el profesor—. Como un casco de soldado.

De pronto, Lucy se puso a botar arriba y abajo, como si estuviera a punto de hacerse pipí encima, pero en realidad lo que estaba era muy emocionada.

—¡Lo tengo, lo tengo! —exclamó, agitando la mano en el aire.

—¿Qué pasa? —preguntó el profesor.

—Sé dónde conseguir un casco metálico. Mi novio, Retaco, tiene uno de cuando estuvo en la guerra.

—¡Perfecto! Habrá que acoplarlo en lo alto del globo. Os lo enseñaré...

El profesor hurgó en el bolsillo de su mugrienta bata de laboratorio.

—¿Dónde diantres habré dejado la tiza?

—Ah, pues debe de haber caído de su bolsillo a mi mano... —mintió Elsie.

Parecía avergonzada.

—¡Muy bien, pequeña! ¡Muy bien! —El profesor estaba impresionado—. Esos deditos tuyos nos vendrán de perlas para robar todos los pañuelos que necesitamos.

El anciano alargó la mano y la niña le devolvió la tiza. Entonces empezó a dibujar su invento en la pared del laboratorio, explicándolo sobre la marcha.

—Veamos, esto que veis aquí es el globo, rematado por el casco de hierro. Aquí, en la base del globo, habrá un cesto de mimbre atado con cuerdas. Y en el centro del cesto pondremos un bidón metálico. Dentro del bidón, habrá leña ardiendo. De esta manera, el aire caliente hará que el globo se infle y se eleve hasta el cielo.

—¡Vaya, esto se va poniendo interesante! —murmuró Lucy.

—¡Silencio mientras habla el gran profesor! —protestó el hombre. Luego prosiguió—: Entonces el piloto del globo volará derecho hacia el corazón de la tormenta. Cuando un rayo alcance este punto...

El profesor estrelló la tiza contra el dibujo del casco metálico.

¡PLAS!

—... el rayo viajará a través del cable de cobre y bajará hasta el interior del museo. La otra punta del cable la habremos enchufado directamente a...

Pero antes de que pudiera terminar la frase, Elsie lo hizo por él:

—Al corazón del mamut.

—¡Exacto! —exclamó el profesor—. Eres muy espabilada, jovencita.

Lucy alzó la mano.

—¿Sí? —preguntó el profesor, dándose humos.

—¿Puedo decir algo?

—¡No! —replicó el hombre.

Lucy cruzó los brazos sobre el pecho, enfurruñada.

—Así que tú, Elsie, robarás los mil pañuelos de seda, y luego Lucy y tú los coseréis unos a otros para hacer el globo. El casco metálico lo pondrá ese tal Retaco, y en cuanto al cesto, el bidón metálico y la leña, Elsie los buscará en las calles. Cable de cobre tengo yo de sobra, de mi último experimento. ¡El plan no podría ser más sencillo!

Lucy y Elsie estaban boquiabiertas. «**Sencillo**» no era la primera palabra que se les habría ocurrido, precisamente.

—¿Y quién va a pilotar el globo? —preguntó Elsie.

El profesor se volvió hacia ella con una sonrisa pícara.

—Tú no, pequeña.

—¿Ah, no?

—No. Necesito a alguien menudo como tú, que pueda colarse por todos los recovecos del museo, para que baje el cable de cobre desde el tejado hasta el vestíbulo principal.

—¿Va a subir usted en el globo, profesor? —preguntó la niña.

—¡JA, JA, JA! —rio el anciano—. No, pequeña. Mis achaques me impiden embarcarme en una misión tan peligrosa.

—¿Y quién lo hará, entonces?

Los oscuros ojos del profesor se clavaron en Lucy.

Elsie siguió su mirada.

—¿Por qué me miráis así? —preguntó la mujer, confusa.

—Porque tú, humilde fregona, tendrás el honor

de llevar a cabo la parte más arriesgada, quizá incluso mortal, de la misión:

¡Pilotar el globo aerostático hasta

el corazón de una

tormenta eléctrica!

·⁓✳⁓·

Capítulo 22

LA BELLEZA DEL PLAN

—¡¿YO?! —exclamó Lucy.

—¡SÍ, TÚ! —replicó el profesor.

—¡Pero si me dan miedo las alturas! Solo de subirme a una silla para limpiar el polvo ya me entra vértigo.

—¡Escúchame bien, mujer! —ordenó el anciano—. ¿Qué mayor honra puede haber en la vida que MORIR en nombre de la ciencia?

—¡¿Morir?!

—En el peor de los casos.

—Soy demasiado joven para morir.

El profesor la miró por encima de sus gafas de medialuna.

—Eso es bastante discutible.

—¡¿Cómo se atreve?!

—¡Yo pilotaré el globo! —se ofreció Elsie.

—No, no, no —empezó el hombre—. ¿Cómo demonios haríamos para que esta ballena bajara por una chimenea?

—¡Maravilloso! —exclamó Lucy—. Primero me llama vieja, y ahora gorda.

—Tranquilízate, mujer. Es muy poco probable que caigas al vacío y acabes muerta, porque puedo atarte al cesto.

—Me quedo muchísimo más tranquila —replicó Lucy.

—Obviamente, el verdadero peligro es que te alcance un rayo.

—¿QUÉ?

—No te preocupes. Sería una MUERTE rápida e indolora. Quedarías incinerada en un milisegundo, sin apenas darte cuenta. En eso consiste la belleza del plan.

—Está usted como una cabra.

—Gracias —contestó el profesor.

—¿Y qué pasa con Zoquete? —preguntó Elsie.

—Sí —caviló el hombre—. El guardia de seguridad puede darnos bastantes quebraderos de cabeza. Tenemos que buscarle alguna distracción.

—¡Para distraerse, nada como el teatro! —sugirió Lucy.

—¡Era una forma de hablar! —estalló el profesor.

—Podríamos encerrarlo en el armario de la limpieza —sugirió la niña.

—Eso sería perfecto —dijo el hombre.

—¿Cómo vamos a salir de aquí sin que nos vean? —preguntó Elsie—. Ahora mismo todo el museo está tomado por policías y guardias de seguridad.

—Tú, pequeña, podrías trepar por el conducto de la carbonera, que está aquí mismo...

El hombre se desplazó en la silla de ruedas hasta la pared, donde había un pequeño hueco escondido tras una caja.

Lucy examinó el hueco.

—¿Y qué pasa conmigo? —preguntó.

—Puedes intentar subir también por el conducto, y si te quedas atascada yo te ayudo pinchando tus generosas posaderas con este palo de escoba.

—Muy amable por su parte —replicó Lucy con sarcasmo—, pero a mí no me busca nadie. Solo a la niña. Creo que esperaré un rato y luego, cuando no haya peligro, saldré por la trampilla y subiré por la escalera.

—De acuerdo, pero no tardes demasiado, por favor —replicó el profesor—. No te quiero merodeando por mi laboratorio.

—Vaya, ¡usted perdone!

—Elsie...

—¿Sí, profesor?

—Quiero verte aquí mañana por la noche, a esta misma hora, con mil pañuelos de seda.

—¿Mañana por la noche?

—Sí, pequeña. No más tarde de las nueve. Y fíjate, la presión atmosférica está bajando... —El hombre señaló un barómetro que había en la pared—. Tenemos que estar listos para la tormenta eléctrica que llegará a finales de semana.

—¡Cuente conmigo, profesor! —dijo la niña, empezando a trepar por el conducto de la carbonera.

El anciano se quedó mirando a Lucy fijamente.

—¿Cómo es que todavía estás aquí? —preguntó.

Mientras tanto, Elsie se escabulló del museo. Su mente iba tan deprisa como sus piernas. ¿Cómo demonios se las arreglaría para robar mil pañuelos en tan solo veinticuatro horas?

Capítulo 23

LA BANDA DE LOS MANILARGOS

Elsie sabía que ni en sueños podría hacer algo así ella sola, así que decidió buscar ayuda. La ayuda de expertos. Había un **legendario** grupo de granujas que eran los mejores carteristas de todo Londres. Lo difícil sería dar con ellos. Todos los conocían como **la banda de los manilargos.**

Los llamaban así porque sabían meter mano a los bolsillos de todas las damas y caballeros de Londres sin que se dieran cuenta, y siempre encontraban algo de valor.

A veces, no era más que un caramelo medio chupeteado, un pañuelo lleno de mocos o —lo peor de todo— una dentadura postiza.

Pero otras veces sus largas manos encontraban cosas de gran valor. Cosas como **relojes de bolsillo, monedas de oro**, gafas con montura de plata, joyas y, por supuesto, pañuelos de seda.

La **banda de los manilargos** estaba compuesta por:

JOSEPH O «GRAN JOE», que se las daba de líder de la banda. Era capaz de robar carteras estando dormido.

ZOE, la auténtica líder. Había aprendido a robar antes que a caminar. Era famosa entre los lectores del diario *The Times*, que a menudo relataba sus fechorías y la describía como una «DELINCUENTE CON CARA DE ANGELITO».

NELLIE era más conocida como «NELLIE LA APESTOSA», pues usaba su propensión a expeler ventosidades para distraer a sus víctimas.

BELLA O «PEQUEÑAJA» era la más bajita de toda la banda. Apenas llegaba a los bolsillos de las damas y caballeros ricos de Londres, por lo que siempre llevaba un banquito encima.

LOTTIE era la peor de todos. Robar carteras era solo una de sus muchas especialidades. La policía de toda Inglaterra la tenía en busca y captura por «dejar fuera de combate a un forzudo», «soltar un eructo en la cara de una monja» y «obligarla a comer queso».

GRACE, O «GRACE LA PELIGROSA» era la más dura de la banda. Nadie, pero nadie en absoluto, se metía con ella a menos que quisiera recibir un doloroso pellizco o un sopapo en toda la boca.

GEORGE, también conocido como «EL INOCENTE» parecía no haber roto un plato en su vida, pero las apariencias engañan. Se disfrazaba de chico del coro, lo que significaba que siempre se salía con la suya.

FREYA «DEDOS LIGEROS» era insuperable. Un día, en un parque de atracciones, robó 318 pañuelos de seda, un barril de golosinas y un tiovivo.

ASIA y ATHENA eran hermanas y cómplices. Cuando no se estaban peleando entre sí, dirigían un imperio delictivo que incluía juegos de azar, extorsión y combates de lucha libre. Se las conocía como «LAS HERMANAS DE LA CRUELDAD».

Completaba la banda otro par de hermanas, SANAYA y RIYANA, también conocidas como «EL DÚO TIRÁNICO». Siempre

trabajaban en equipo: SANAYA se hacía pasar por una dulce florista ambulante y su hermana pequeña, RIYANA, aprovechaba para acercarse a los compradores por la espalda y desplumarlos.

La **banda de los manilargos** era toda una leyenda en las calles de Londres. Los rumores de sus proezas circulaban por toda la ciudad, pero nadie sabía dónde encontrarlos. Nadie excepto Elsie.

·→✱←·

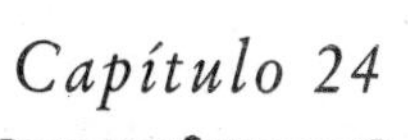

Capítulo 24

HUELLAS DE MANO

Elsie se había dado cuenta de que había huellas rojas de manos infantiles estampadas en los muros y edificios de toda la ciudad. Una vez, en plena noche, había visto a Grace la Peligrosa dejar la suya a un lado de la catedral de San Pablo. Elsie estaba segura de que se trataba de algún tipo de clave secreta, una forma que tenían los integrantes de la banda de comunicarse entre ellos, así que esa noche había seguido a Grace, que había plantado más huellas rojas en la puerta del número 10 de Downing Street e incluso en la catedral de Westminster. Las huellas daban la impresión de ser como flechas que señalaban en alguna dirección.

La noche que el profesor encargó a Elsie su misión, la niña siguió el rastro de las huellas hasta la sede del parlamento británico. La última que encontró estaba en la torre del Big Ben y señalaba hacia ARRIBA. No sería porque la **banda de los manilar-**

gos tuviera su escondrijo secreto allá arriba, ¿verdad?

Solo había una forma de averiguarlo.

Elsie forzó la portezuela de abajo y subió por la escalera hasta lo alto de la torre.

—¿Hola? —dijo en voz alta cuando entró en la estancia.

La enorme esfera del reloj brillaba a su espalda como una gran luna llena.

¡TOLÓN!, repicó la campana.

—¿Hay alguien...? —preguntó Elsie.

Estaba segura de haber oído un correteo. Tal vez fuera un ratón. O tal vez no.

—¿Hola? Estoy buscando a la banda de los mani...

Antes de que pudiera acabar la palabra, alguien le puso un saco de tela sobre la cabeza.

—¡SOCORRO! —gritó.

¡TOLÓN!

—Cierra el pico —ordenó una voz en susurros.

La empujaron hasta un rincón, y Elsie se quitó el saco de la cabeza.

¡TOLÓN!

Varios niños salieron de entre las sombras.

—¿Qué demonios estás haciendo aquí? —preguntó Gran Joe.

¡TOLÓN!

Zoe lo apartó de un empujón.

—¿A qué has venido, canija? Si quieres unirte a nuestra banda, será mejor que te lo pienses dos veces.

¡TOLÓN!

Sanaya y Riyana la obligaron a levantarse y luego empezaron a tirarla de aquí para allá como si fuera una pelota.

Sanaya y Riyana la obligaron a levantarse y luego empezaron a tirarla de aquí para allá como si fuera una pelota.

—¿Te crees lo bastante dura para entrar en la banda? —preguntó la mayor de las dos hermanas.

—¡Pero si no sabes hacer la o con un canuto! —añadió la más pequeña.

¡TOLÓN!

De pronto, alguien la empujó desde atrás. Elsie se dio la vuelta. Era Grace, y le dio un buen tirón de orejas.

—¡AAAY!

—¡Llorica! —se burló Grace.

¡TOLÓN!

George, vestido de chico del coro, dio un paso adelante blandiendo un libro de cánticos.

¡ÑACA!

Y lo usó para **atizar** a Elsie en la cabeza.

—¡AAAY!

—¡PERDÓN! —dijo el chico entre risas—. ¡Se me ha caído el cantoral!

¡TOLÓN!

Ahora era el turno de Bella. La niñita avanzó con paso decidido y plantó su banquito delante de Elsie. Luego se subió al banco y, ni corta ni perezosa, le metió un dedo en el ojo.

¡ZAS!

—¡AAAY!

¡TOLÓN!

—No has visto nada, ¿verdad que no? ¿O quieres que repita con el otro ojo?

—NO, NO, POR FAVOR... —suplicó Elsie.

¡TOLÓN!

Entonces Asia y Athena se sumaron a la fiesta, usando a la niña como saco de boxeo.

—Es tan blanda como la papilla.

—Papilla es lo que será cuando acabemos con ella.

¡TOLÓN!

Finalmente, Nellie dio un paso al frente. Llevaba unas botas pesadas que le iban demasiado grandes y pisoteó con todas sus fuerzas los deditos de los pies de Elsie.

¡CHOF!

—¡AAAYYY!

¡TOLÓN!

—Ya no eres tan dura, ¿verdad que no? —se burló Nellie—. ¿Por qué no vuelves corriendo con tu mamaíta?

Elsie respiró hondo y trató de poner en orden sus pensamientos.

—Porque, como vosotros, yo no tengo madre. Y he venido para pediros que ayudéis a una... criatura, por así decirlo, que tampoco la tiene.

—¿Qué criatura? —preguntó Zoe.

La **banda de los manilargos** la miraba ahora con interés.

Elsie sonrió de oreja a oreja. Ya eran suyos.

Capítulo 25

PILLAJE SOBRE HIELO

Aquel era el mejor cuento de todos los tiempos. En lo alto de la torre del Big Ben, Elsie contó toda la historia a la banda de niños ladrones. Tal como hacía que pasaba con los huérfanos de VILLA LOMBRICES, los cautivó a todos con su talento para narrar. Les explicó cómo habían descubierto al mamut, la visita de la reina Victoria y el plan para traer al animal de vuelta a la vida con la descarga de un rayo.

—A ver si lo he entendido bien —empezó Gran Joe—. ¿Necesitas nuestra ayuda para robar mil pañuelos de seda?

Elsie asintió.

—Bueno —empezó Zoe—, si alguien puede hacerlo es la **banda de los manilargos**.

Y vaya si pudieron. Para Elsie, además, aquel fue un día inolvidablemente divertido. Ese invierno hacía tanto frío en Londres que se había formado una gruesa capa de hielo sobre el río Támesis. Las damas y caballeros de las clases altas se habían puesto los patines y daban vueltas por la superficie helada. Era el escenario perfecto para una exhibición de «pillaje sobre hielo». Por un día, Elsie se unió a la banda de granujas más famosa de Londres y entre todos vaciaron los bolsillos de los patinadores mientras surcaban la pista entre giros y piruetas.

¡T I L Í N!

Un pañuelo de seda.

Y otro.

¡T I L Í N!

Y otro, y otro, y otro más.

¡T I L Í N!

Una manzana caramelizada.

Ñam.

¡T I L Í N!

Una cajita con uñas cortadas. No tan apetitosa.

¡T I L Í N!

Un pañuelo de seda.

¡T I L Í N!

Otro.

¡T I L Í N!

¿Un par de pololos de señora? ¿Qué hacían en el bolsillo del obispo?

¡T I L Í N!

Un huevo escocés.

¡T I L Í N!

Un pañuelo de seda.

¡T I L Í N!

¡Otro!

¡T I L Í N!

Un guante.

¡T I L Í N!

Una petaca llena de brandy.

¡T I L Í N!

Un pañuelo de seda.

Todo estaba saliendo a pedir de boca.

Cuando dos policías empezaron a deslizarse sobre el hielo, Elsie dio por sentado que se había acabado lo que se daba. Nada más lejos de la realidad. ¡Robar se le daba tan bien a la **banda de los manilargos** que los desplumaron a ellos también!

¡TILÍN!

Un sándwich de queso y pepinillos.

¡TILÍN!

Un par de esposas.

Tras un largo y agotador día dedicado al hurto, Elsie y la banda se retiraron a la torre del reloj para compartir el botín.

—He perdido la cuenta de los pañuelos que hemos birlado —dijo Zoe—, ¡pero tiene que haber más de mil! ¡Regalaremos el resto del botín a los pobres!

—¡Sí, a los pobres de nosotros! —bromeó George.

Toda la banda se echó a reír.

En cuanto a Elsie, le brillaban los ojos de alegría. Con la ayuda de sus nuevos amigos, había conseguido algo que parecía imposible. Ahora podía volver al **MUSEO DE HISTORIA NATURAL** habiendo cumplido su misión.

—Suerte, pequeña —le dijo Bella.

Tenía bemoles que la llamara así siendo bastante más bajita que ella, pero Bella era de armas tomar, así que Elsie decidió no llevarle la contraria.

—Adiós —se despidió. Luego se echó el botín al hombro y bajó corriendo desde lo alto de la torre mientras el Big Ben daba las ocho.

¡TOLÓN, TOLÓN, TOLÓN,
TOLÓN, TOLÓN, TOLÓN,
TOLÓN, TOLÓN!

Lo había conseguido.

Capítulo 26

UN PEQUEÑO PROBLEMA

Elsie entregó al profesor los mil pañuelos de seda y el par de pololos de señora. El hombre las puso a ambas, a Lucy y la niña, a coser de inmediato para fabricar algo parecido a un globo aerostático. Luego fueron reuniendo las demás piezas y accesorios que el profesor había pedido, y hacia el final de la semana el estrafalario trío estaba listo para llevar a cabo su plan.

Mientras los nubarrones se cernían sobre Londres, el profesor decidió que esa noche era perfecta para emprender el vuelo. Había llegado el momento de comprobar si una criatura prehistórica que llevaba diez mil años MUERTA podía de veras volver a la vida.

Pero antes debían resolver el pequeño problema del señor Zoquete. El guardia de seguridad se pasaba la noche patrullando el **MUSEO DE HISTORIA NATURAL**, y aunque no era lo que se dice un genio, seguramente se fijaría en un mamut vivo.

¡CHIS, CHAS, CHIS, CHAS, CHIS, CHAS!

Se oía a la legua el estruendo de sus botas con tachuelas.

—Buenas noches, señor Zoquete —lo saludó Lucy mientras fingía fregar el suelo del pasillo.

—¿Aún no te has ido a casa? —preguntó el guardia de seguridad. Disfrutaba pisoteando la parte limpia del suelo, para que la pobre Lucy tuviera que volver a fregarlo. Pasaba bastante de la hora de cierre del museo y Zoquete estaba acostumbrado a tenerlo solo para sí. Lucy debería haberse marchado horas atrás.

—Sí, señor Zoquete. Fíjese, hay una mancha en el techo que no hay manera de quitar.

—¿En el techo?

—Así es.

—¿Cómo puede haber una mancha en el techo?

—Puede que alguien derramara el té y saliera disparado hacia arriba.

—¿Hacia arriba?

—Podría pasar.

Zoquete escudriñó el techo.

—Yo no veo nada.

—Fíjese bien —dijo Lucy.

Era la señal acordada para que Elsie entrara en escena. Aprovechando que Zoquete estaba mirando hacia arriba, se arrastró hasta sus pies y empezó a desatar los largos cordones de sus botas.

Lucy iba mirando a la niña de reojo para comprobar si le faltaba mucho.

—No hay ninguna mancha ahí arriba —afirmó el hombretón.

—¡No me diga que no la ve!

Entonces Elsie empezó a atar los cordones entre sí.

—Creo que estás mal de la cabeza.

—Fíjese bien.

Elsie miró a Lucy y asintió en silencio. Esa era la señal de que había terminado. La mujer de la limpieza cogió el cubo y lo encasquetó en la cabeza de Zoquete.

¡CLONC!

El hombre no veía nada.

—¿Quién ha apagado las luces?

Como tenía las botas atadas entre sí, no podía llegar muy lejos.

—¡DEPRISA! —gritó Elsie, y entre las dos lo metieron en el armario de la limpieza.

—¡SOLTADME!

Luego cerraron el armario de un portazo.

¡ZAS!

Y giraron la llave en la cerradura.

¡CLIC!

¡PAM, PAM, PAM!

Zoquete aporreaba la puerta desde dentro.

—¡DEJADME SALIR!

Al otro lado de la puerta, Lucy y Elsie se reían como dos traviesas colegialas.

—¡JI, JI, JI!

—Muy bien —dijo Elsie—. Ahora, manos a la obra.

Capítulo 27

LA NEVADA ELÉCTRICA

Desde lo alto de una de las torres del **MUSEO DE HISTORIA NATURAL**, Elsie ordenó a Lucy que aguzara el oído. Al cabo de un rato, la mujer empezó a impacientarse y preguntó:

—¿Qué se supone que tenemos que oír?

—El silencio —contestó la niña.

—Pues no pides tú nada...

—¡Chisss! —susurró Elsie—. Escucha, los pájaros han dejado de cantar en los árboles.

—Tienes razón —concedió la mujer.

—No va a caer una tormenta, sino una nevada, una NEVADA ELÉCTRICA. Cuando vives a la intemperie aprendes a reconocer las señales.

—Una NEVADA ELÉCTRICA, ¿dices? Suena bastante aterrador. ¿Estaremos seguras aquí arriba durante la «NEVADA ELÉCTRICA»?

—No.

—Me lo temía. En fin, si me pasa algo, hazme el favor de decirle a Retaco que lo amo.

—Ah, sí. Retaco.

—Lo encontrarás en el Royal Hospital. Es el que nos prestó este casco de hojalata.

—Ah, sí. Ya decía yo que era diminuto.

—El buen perfume de vende en frasco pequeño. Escucha, Elsie, voy a dejarte todas mis pertenencias materiales: las fregonas, las escobas y el cubo.

—Eres muy generosa, Lucy. Me ha llegado al corazón, de verdad.

—Pero si consigo un puesto como señora de la limpieza en el cielo voy a querer recuperarlo todo, ¿entendido?

—Claro. Puedes recuperarlo cuando quieras, ya sea en este mundo o en el más allá. Y ahora será mejor que encendamos el fuego.

Lucy y Elsie se concentraron en el globo aerostático de fabricación casera que habían montado siguiendo las instrucciones del profesor.

Tras unos pocos intentos frustrados, consiguieron prender fuego a la leña que había dentro del bidón. El aire caliente empezó a subir y, poco a poco, el globo de pañuelos (y un par de pololos) se fue inflando. Milagrosamente, las costuras aguantaron.

El globo multicolor fue creciendo cada vez más, hasta que parecía lo bastante grande para soportar el considerable peso de Lucy.

Elsie se volvió hacia la mujer.

—A ver, cuando yo tire del cable de cobre tres veces seguidas, sabrás que he conseguido clavar el otro extremo en el corazón del mamut.

—¿Del marabú? De acuerdo.

Elsie no tenía tiempo para corregirla, así que fingió no oírlo.

—Entonces, y solo entonces, echarás a volar el globo. ¿Entendido?

—Sí. Tres veces.

Lucy asintió.

¡BUUUM!

Un trueno retumbó en el cielo.

A un lado de la torre había una estrecha chimenea, no mucho más ancha que un plato sopero. Elsie vació todo el aire que tenía en los pulmones y saltó al interior de la chimenea.

—¡Nos vemos abajo! —dijo.

—¿No te olvidas de nada? —preguntó Lucy. Elsie miró hacia arriba, confusa—. ¡El cable!

—Ah, claro. No es mala idea —dijo Elsie.

—¡Menudas dos! —exclamó Lucy, riendo entre dientes.

La mujer alargó la punta del cable y Elsie lo cogió entre los dientes antes de desaparecer en el oscuro hueco de la chimenea. Buscó desesperadamente alguna grieta o recoveco a los que agarrarse con pies y manos. Abajo se recortaba un diminuto cuadrado de luz. Aquella era la chimenea que daba al despacho del director del museo.

¡C
R
U
A
J!

—¡AAAY! —chilló la niña.

Algo la estaba atacando.

Plumas. Un pico. Garras.

¡Un pájaro!

Debía de tener el nido en lo alto de la chimenea.

La criatura parecía tan asustada como lo estaba Elsie. Ambas se revolvían entre aspavientos, aferrándose a la vida.

En medio del caos, Elsie perdió el agarre y cayó a toda velocidad por el hueco de la chimenea.

—¡AAAYYY! —gritó.

Capítulo 28

UNA CATAPULTA GIGANTE

Un segundo más tarde, o eso le pareció, Elsie estaba despatarrada en el despacho de sir Ray Robustiano, que tenía las paredes recubiertas con paneles de roble. La niña había arrastrado consigo una nube de hollín, y no podía evitar toser y resoplar cada vez que intentaba respirar.

—¡COF, COF, COF!

Cuando la nube de hollín se desvaneció, se vio frente a frente con una criatura de grandes cuernos.

—¡NOOO!

Al alargar la mano para impedir que la atacara, se dio cuenta de que el animal estaba DISECADO. En el pedestal que había debajo ponía CABRA MONTÉS (aunque Elsie no sabía leer).

La niña se levantó de un brinco. Le dolía todo el cuerpo, pero por suerte no se había roto ningún hueso. Cogió el cable de cobre y avanzó de puntillas hasta la puerta del despacho. Cuando intentó abrirla, ¡se dio cuenta de que estaba cerrada con llave por fuera!

¡RECÓRCHOLIS! Esto no formaba parte del plan... Tenía que haber otra llave en algún rincón del despacho. Elsie abrió todos los cajones, hurgó en todas las cajas y pasó la mano por todos los estantes, pero fue en vano. Había un armario ropero, y no dejó un solo bolsillo sin registrar, pero no había ni rastro de la llave.

Se volvió hacia la extraña criatura con cuernos, que parecía sostenerle la mirada. ¡La cabra montés era perfecta como ariete improvisado!

Elsie saltó a lomos de la criatura y, usando los pies para desplazarla hacia delante, la estrelló contra la puerta de roble macizo, pero no le hizo más que algún rasguño.

¡CLONC!

Entonces Elsie tuvo una idea. Volvió al armario y quitó un par de tirantes elásticos a unos pantalones que había allí colgados. Luego ató los extremos de los tirantes a la pata del pesado escritorio por un lado y al pomo de la puerta por el otro. Después colocó a la cabra montés en posición de ataque y pasó los tirantes por detrás de su trasero. Finalmente, tiró del animal hacia atrás con todas sus fuerzas.

¡Elsie había fabricado una catapulta gigante!

Cuando ya no podía sujetarla ni un segundo más, la soltó de golpe.

Los tirantes propulsaron a la cabra montés, que cruzó el despacho a toda velocidad y se empotró contra la puerta...

¡CATACRAC!

... provocando una lluvia de astillas.

¡ C H A S !

Elsie no pudo evitar sonreír al comprobar el caos que había provocado.

Cogió la punta del cable de cobre y salió tan campante por el agujero que había hecho en la puerta.

Capítulo 29

ESCALEROSAURIO

En el gran vestíbulo del museo, Elsie encontró al profesor en su silla de ruedas, contemplando el **MONSTRUO DE LAS NIEVES**. El cristal de la gran vitrina estaba empañado. Elsie bajó las escaleras a la carrera para reunirse con él.

—¡El hielo! ¡Se está derritiendo! —exclamó, sorprendida.

—Sí, pequeña. He desconectado el sistema de refrigeración —le dijo el profesor—. De lo contrario, no podríamos enchufar el extremo de ese cable de cobre al corazón de la criatura.

—Pero ¿y si le devolvemos la vida y justo después se ahoga en el agua?

—Ya lo he pensado, jovencita. ¡Y he aquí la SOLUCIÓN!

El profesor sacó de debajo de la silla de ruedas una herramienta de aspecto aterrador, mezcla de martillo y hacha.

—¿Un pico?

—Sí, pequeña. Esto nos permitirá romper el cristal. ¿Estás lista?

—¿Lista para qué?

—Para zambullirte en la vitrina, claro está.

—¿Yo?

—Sí, tú.

—Yo no sé nadar. ¿Y si me ahogo?

El profesor se lo pensó unos instantes.

—En tal caso, pasarás a la posteridad.

—¿A la posteridad?

—Sí, como una breve nota al pie* en la historia de cómo yo, el genial profesor, traje al **MONSTRUO DE LAS NIEVES** de vuelta a la vida. Venga, trepa hasta el borde de la vitrina.

Elsie miró alrededor.

—¿Tiene usted una escalera, profesor? —le preguntó.

El hombre se puso pálido.

—Me cachis —contestó—, no había pensado en ese detalle.

—Vaya, vaya, el genial profesor también se equivoca... —murmuró la niña.

* Una nota al pie es un comentario escrito en el margen inferior de la página, como esta.

El hombre empuñó el pico con gesto amenazador.

—Ya me las arreglaré —dijo Elsie.

La niña barrió el vestíbulo con la mirada en busca de algo, lo que fuera, que pudiera usar como escalera, hasta que se dio cuenta de que tenía justo lo que necesitaba delante de sus narices.

—¡El diplodocus! —exclamó.

Un ENORME esqueleto de dinosauro se erguía ante ella.

—¿Puedes escalarlo? —preguntó el profesor.

—¡Sí! ¡Tengo pies de mono! ¡Lo llamaré «escalerosaurio»!

—¡Qué gran idea se me ha ocurrido! —exclamó el profesor—. Cuando llegues a lo alto de la vitrina, tienes que nadar hasta el corazón del animal.

—¡Ya le he dicho que no sé nadar! ¡Pero podría bucear!

—¿A qué te refieres?

—Profesor, ¿me presta el pico?

—Todo tuyo.

La niña cogió el pico. Pesaba lo suyo, pero Elsie se esforzó por fingir que no le costaba levantarlo. Se fue derecha hacia una vitrina de cristal que albergaba un pedrusco del tamaño de una pelota de fútbol.

¡CATACRAC!

Elsie rompió el cristal y sacó la piedra con esfuerzo.

—¡Eso es un meteorito! —exclamó el profesor.

—Aquí tiene —dijo Elsie, devolviéndole el pico—. Este meteorito hará que me hunda en el agua.

—¡Qué maravillosa idea he vuelto a tener! —murmuró el hombre.

Elsie sujetó el extremo del cable de cobre entre los dientes y cogió el meteorito. Sin prisa pero sin pausa, empezó a escalar con sus pies de mono los huesos de la cola del dinosaurio.

Por si escalar un esqueleto de dinosaurio con un meteorito en las manos no fuera lo bastante difícil, el museo estaba a oscuras. No había más luz que el ocasional destello de algún relámpago al otro lado de las ventanas, ahora cubiertas en nieve.

—¡Deprisa! —ordenó el profesor—. ¡Que se nos acaban los rayos!

—Voy lo más deprisa que puedo —replicó la niña.

Los huesos del dinosaurio eran suaves y redondeados, lo que significaba que era muy fácil resbalar. Elsie se lo tomaba con calma, dejando que los dedillos de sus pies se afianzaran bien antes de dar el siguiente paso. En poco tiempo se plantó en la espalda del animal, y como los huesos de esa parte eran mucho más anchos, pudo avanzar más deprisa. Ahora la niña estaba en la base del cuello y le tocaba escalar una pendiente muy larga.

Elsie miró hacia abajo. Gran error. Se dio cuenta de que estaba muy arriba y se sintió mareada. Cerró los ojos, lo que solo sirvió para que se sintiera más inestable.

—¿Por qué diantres te has parado, pequeña mentecata?

Elsie respiró hondo. Un relámpago cayó al otro de la ventana, alumbrándolo todo por unos instantes. La niña supo que no había tiempo que perder. Todavía sujetando el meteorito, dio un paso adelante, y luego otro, y otro más. No tardó en escalar el cuello del dinosaurio. Con un salto le bastaría para acceder a la vitrina del mamut.

¡BUUUM!

Un trueno retumbó en el cielo. El estruendo fue tan fuerte que hizo temblar las paredes del museo.

El corazón de Elsie dio un brinco y la niña perdió el equilibrio.

—¡AAH! —chilló.

Capítulo 30

EL OJO DE LA TORMENTA

Elsie se precipitó hacia delante, pero tuvo la gran suerte de que su abrigo quedara enganchado a uno de los huesos del diplodocus. Sin apenas comprender lo que había pasado, la niña se descubrió columpiándose en el vacío. Milagrosamente, no había dejado caer el meteorito.

—¡Estoy viva! —exclamó.

—Sí, ya lo veo, cabeza de chorlito. ¡Vamos, deja ya de hacer tonterías! ¡Que no tenemos toda la noche!

La niña balanceó las piernas y se cogió con ellas a los huesos del dinosaurio. Luego desenganchó el abrigo y, usando el meteorito para coger impulso, logró volver arriba.

El cráneo del diplodocus estaba muy cerca de la vitrina del mamut. Desde allí, Elsie SALTÓ al techo de la vitrina.

¡CATAPLÁN!

La vitrina estaba helada, y el frío le hacía cosquillas en los dedos de los pies.

—¿Has encontrado la escotilla? —preguntó el profesor.

Elsie miró hacia delante.

—¡AFIRMATIVO!

—Desenrosca los tornillos de alrededor.

La niña dejó el meteorito sobre la vitrina y abrió la escotilla.

—Ahora entra ahí dentro y clava la punta del cable de cobre en el corazón del mamut, tal como te enseñé.

Elsie asintió, cogió la roca y se zambulló en el agua helada.

¡CHOF!

—¡ARGH! —exclamó.

El agua estaba tan fría que casi le dio un patatús. Agarrada al meteorito, se hundió como un plomo. En un visto y no visto, llegó al fondo de la vitrina.

Desde su silla de ruedas, el profesor le indicaba por señas dónde estaba el corazón de la criatura.

Elsie soltó el meteorito y empezó a ascender al instante. Por el camino, clavó la punta del cable en lo más profundo del corazón del mamut. Se había

quedado sin aire en los pulmones, y dejó que su cuerpo flotara hasta la superficie, donde sacó la cabeza por la escotilla y cogió una gran bocanada de aire. Temblando de pies a cabeza, se aupó hasta el techo de la vitrina y se quedó allí tumbada, empapada y tiritando de frío, pero sintiéndose afortunada por seguir con vida.

—¡No te quedes ahí plantada como un pasmarote! —le riñó el profesor.

—¿Qué-qué p-p-pasa a-ahora?

—Mira por la ventana. Estamos en medio de una tormenta. Cada minuto cuenta. ¡Tienes que tirar del cable tres veces seguidas para que Lucy despegue a bordo del globo aerostático!

La niña obedeció.

¡TOING, TOING, TOING!

Elsie saltó de la vitrina al esqueleto de diplodocus. Unos segundos después, el cable de cobre se tensó.

—¡PERFECTO! —exclamó el profesor.

Lucy, que estaba pasando frío y nervios en el tejado del museo, recibió por fin la tan ansiada señal. Desató lo más deprisa que pudo las cuerdas que anclaban el cesto de mimbre y echó a volar.

¡FIUUU!

Iba derecha al OJO de la tormenta.

Relámpagos y truenos se sucedían a su alrededor.

¡BUUUM!

¡BUUUUUUM!

¡BUUUUUUUM!

¡BUUUUUUUM!

Haciendo de tripas corazón, dirigió el globo hacia los nubarrones hasta que...

¡CATAPLUM!

... un rayo alcanzó el casco de hojalata que remataba el globo.

¡ZAS!

El cable de cobre resplandeció, sacudido por la electricidad.

Se oyó un CHISPORROTEO...

—Oh, no... —murmuró Lucy para sus adentros—. ¡Creo que se me ha escapado un poquito de pipí!

Guiado por el cable, el rayo entró a toda velocidad en la torre, bajó por el hueco de la chimenea, cruzó el despacho del director, enfiló el pasillo, dobló una esquina, salvó los escalones y se metió en la vitrina.

La descarga eléctrica golpeó al mamut en lo más profundo del corazón.

Lo habían conseguido.

¿O no?

El profesor y Elsie se miraron. No parecía haber pasado nada.

Absolutamente nada.

Pero nada de nada.

Menos que nada.

Cero patatero.

—¡NOOO! ¡No ha funcionado! —estalló el profesor.

—Espere —susurró la niña—. Creo que algo ha cambiado.

Elsie apoyó una mano en el cristal y miró directamente a uno de los ojos del mamut.

A menos que estuviera teniendo alucinaciones, estaba segura de que la criatura también la miraba a ella.

Y entonces pasó algo realmente increíble.

El mamut parpadeó.

—¿Lo ha visto, profesor? —exclamó Elsie.

—¿El qué?

—¡Ha parpadeado!

El profesor empezó a temblar de emoción en su silla de ruedas. Respiró hondo antes de proclamar:

—¡¡¡ESTÁ VIVO!!!

Capítulo 31

NO MIRES ATRÁS

Elsie echó los brazos alrededor del profesor y lo abrazó con fuerza.

—¡Lo hemos conseguido! —exclamó.

—¡Sí, lo he conseguido! —susurró el hombre—. Y ahora suéltame de una vez.

Pero habían echado las campanas al vuelo demasiado pronto, ¡porque el mamut había empezado a revolverse dentro de la vitrina!

El animal soltó un berrido que sonó amortiguado por el agua:

—¡HIII!

Si no sacaban a la criatura de allí enseguida, se ahogaría.

El profesor se acercó en la silla de ruedas, levantó el pico con ambas manos y lo estrelló tan fuerte como pudo contra la vitrina.

¡CRAC!

Una telaraña de finas grietas se extendió por el cristal.

—¡HIII! —barritó el animal bajo el agua.

El mamut se abalanzó hacia delante y golpeó la vitrina con los colmillos.

¡CATACROC!

De repente, el cristal se desplomó y un torrente de agua helada inundó el gran vestíbulo del museo, llevándose por delante a Elsie y al profesor en su silla de ruedas.

¡ZAS!

—¡Aaay! —gritó la niña al verse arrojada contra la escalera de piedra.

¡PUMBA!

El profesor se había golpeado la cabeza con fuerza y flotaba boca abajo en el agua, a unos metros de su silla de ruedas.

—¡Profesor, profesor! —lo llamó la niña.

De pronto, el hombre levantó la cabeza y la miró. Sus ojos parecían a punto de salirse de las órbitas.

—Hagas lo que hagas —dijo—, no mires atrás.

Como todos sabemos, basta que te digan que no hagas algo para que lo hagas sin pensarlo.

Despacio, la niña volvió la cabeza.

El mamut estaba justo detrás de ella, empinado sobre las patas traseras.

—¡HIII!

En cuanto dejara caer las enormes patas, Elsie y el profesor quedarían hechos picadillo.

* * *

Capítulo 32

DESNOQUEADO

Elsie apartó al profesor de un empujón justo antes de que la gigantesca pata del mamut aterrizara en el suelo.

—¡CATAPLUM!

—¡HIII! —barritó la criatura.

—¿Por qué intenta matarnos? —preguntó la niña a grito pelado—. Pero ¡si acabamos de devolverle la vida!

—¡Porque es una bestia salvaje! —replicó el profesor—. ¡No esperarás que te dé las gracias! Y ahora, por lo que más quieras, ¡ÉCHAME UNA MANO!

Elsie cogió al anciano por debajo de los brazos y lo arrastró hasta la inmensa escalinata de piedra que conducía al piso de arriba. Cuando ya habían subido unos pocos escalones, el mamut se dio media vuelta y embistió el esqueleto del diplodocus.

¡CATACRAC!

Elsie se agachó para esquivar la lluvia de huesos gigantes que salieron disparados en todas las direcciones.

¡ZAS!

Uno de los huesos golpeó al profesor en la frente y lo dejó fuera de combate.

¡PUMBA!

—¡PROFESOR! —gritó Elsie.

La niña abofeteó al anciano para despertarlo. Al ver que no funcionaba, siguió arrastrándolo escaleras arriba para huir del animal.

El mamut avanzaba a grandes zancadas en su dirección. Alcanzó la base de la escalinata justo cuando Elsie había logrado arrastrar al profesor hasta la mitad de la misma.

¿El mamut no podría subir los escalones para ir tras ellos, verdad?

Para su horror, resultó que sí podía.

—¡NO! —gritó la niña.

Con paso vacilante, el mamut apoyó una gigantesca pata en el primer escalón, luego en el segundo, luego en el tercero.

¡PLONC! ¡PLONC! ¡PLONC!

Con las prisas, Elsie dejó caer al profesor, cuya cabeza rebotó en los escalones de piedra.

—¡CLONC!

Por lo general, semejante golpe habría bastado para noquear a cualquiera, pero como el profesor ya estaba noqueado, tuvo el efecto contrario: ¡lo desnoqueó!

—¡Ay! —gritó el hombre.

—¡Se ha despertado! —exclamó Elsie.

—¿Me he perdido algo?

—Creo que vamos a morir.

—Oh, no.

—¡HIII!

El mamut volvió a soltar su inconfundible berrido, con la trompa en alto y los afilados colmillos a escasos centímetros de las caras de Elsie y el profesor. La criatura echó la cabeza hacia atrás como si quisiera tomar impulso para ensartarlos con los colmillos.

—¡SOCORRO! —chilló la niña.

Justo entonces, se oyó un tremendo estrépito procedente del techo.

¡PATAPAM!

Lucy se había estrellado con el globo aerostático contra la vidriera recién reparada del vestíbulo principal.

¡CATACRAC!

El globo cayó a plomo desde arriba y el cesto de mimbre golpeó al mamut en la cabeza con fuerza.

¡PUMBA!

—¡HIII!

Esta vez su barritar sonaba diferente, más como un grito de miedo. El mamut se escabulló escaleras abajo y cruzó el vestíbulo para buscar refugio entre las sombras de la galería lateral.

Mientras tanto, el cesto del globo aterrizó con un golpe seco y derrapó por el suelo hasta que se detuvo al chocar con la pared.

¡CLONC!

—¡CÁSPITAS! —exclamó Lucy.

Mientras se levantaba con dificultad, contempló la escena a su alrededor. Había huesos de dinosaurio esparcidos por todas partes, mezclados con esquirlas de cristal de la vidriera rota y de la vitrina del mamut; varios charcos de agua helada, y lo que quedaba del cesto de mimbre y del globo aerostático hecho de mil pañuelos y un par de pololos, que ahora estaba desinflado en el suelo.

—¡Eres un mamut muy travieso! —exclamó Lucy—. ¡Hay que ver la que has liado! ¡Me llevará toda la noche recoger esto!

—¡Serás majadera! —la interrumpió el profesor—. ¡Ese es el menor de nuestros problemas! La bestia acaba de intentar matarnos. ¿A que sí, Elsie? ¿Elsie?

El profesor miró a su espalda, pero la niña había desaparecido.

—¡Elsie! —la llamó—. ¿ELSIE?

Sin que el anciano se diera cuenta, la niña se había ido hasta la galería sin decirle nada para ver al mamut más de cerca.

—¡APÁRTATE DE ÉL, PEQUEÑA MENTECATA! —ordenó el profesor a grito pelado.

—¡Chiiisss! —replicó la chica—. Lo está asustando.

—¡Hagas lo que hagas, no lo toques! —gritó el profesor.

La valiente niña hizo oídos sordos a sus advertencias y alargó la mano para tocar la trompa del mamut, la única parte de su cuerpo que sobresalía entre las sombras.

Primero, la trompa hizo una especie de bailecillo alrededor de la mano de Elsie, como una serpiente encantada. Entonces la niña extendió la mano con la palma vuelta hacia arriba y ocurrió algo extraordinario: el pasado y el presente se fundieron en un solo instante.

El mamut y la niña se tocaron.

Capítulo 33

LA ESPINOSA CUESTIÓN DEL NOMBRE

—Qué bonito es... —murmuró la niña.

Poco a poco, Elsie se fue ganando la confianza de la criatura. Al principio, solo podía tocarle la trompa fugazmente. El mamut se retiraba, pero la niña volvía a intentarlo una y otra vez. Luego, con toda la delicadeza del mundo, empezó a acariciarle la trompa recubierta de suave pelo. Lejos de evitarla, el animal se arrimó a su mano, algo que Elsie se tomó como una invitación, así que extendió sus caricias a lo largo de toda la trompa y hasta le dio unas palmaditas en las mejillas. Entonces el animal retrocedió y la niña comprendió que había acercado demasiado la mano a su ojo, por lo que la apartó. Hasta probó a hacerle cosquillas en el mentón, porque era algo que siempre le había dado resultado con los gatos callejeros. Al igual que estos, el mamut emitió una especie de RONRONEO.

A espaldas de Elsie, los dos adultos se acercaban despacio al mamut, el profesor de nuevo en su silla de ruedas, que Lucy se encargaba de empujar. Ninguno de los dos podía creer lo que estaba viendo.

—Es extraordinario —musitó el profesor—. Hay una conexión especial entre ambos.

—Como me pasa a mí con mi fregona preferida —apuntó Lucy.

—Creo que echa de menos a su mamá —susurró la niña. Luego se volvió hacia el mamut—: No te preocupes. Yo te cuidaré. Te lo prometo.

El animal no podía entender las palabras de Elsie, pero sí comprendía los sentimientos que había detrás de estas. Le hablaba en un tono dulce, lo que sumado a las caricias y los cosquilleos, le transmitía toda la bondad de la niña.

—¡Es un momento histórico! —exclamó el profesor—. ¡Pasaré a la historia como el mayor científico de mi tiempo! ¡Qué digo, de todos los tiempos!

Lucy puso los ojos en blanco.

—Y dale...

—¡Yo solito, sin la ayuda de nadie, he devuelto la vida a una criatura muerta! ¡Soy el doctor Frankenstein del mundo real, y este es mi monstruo!

El profesor levantó la mano para tocar al mamut, pero este retrocedió al instante.

—¡No es un monstruo! —replicó Elsie. Luego echó un vistazo rápido al bajo vientre del animal para salir de dudas—. ¡Para empezar, es una CHICA! Y no es suya. ¡No es de nadie! ¡La hemos liberado!

—¡Me importa un bledo caerle mal a esa cosa!

—¡Qué horror, llamar «cosa» al pobre bicho! —intervino Lucy—. Tenemos que buscarle un nombre.

Elsie y Lucy se lo pensaron unos instantes.

—¡LANITA! —exclamó la niña.

—¡No podemos llamarla así! —protestó el profesor.

—¿Por qué no? —replicó Lucy.

—No, no, no —refunfuñó el hombre—. ¡Es de lo más soso! Demasiado obvio. Es como llamar «Guau-Guau» a un perro.

—Pues a mí me parece un buen nombre para un perro —repuso Lucy—. Ojalá se me hubiese ocurrido para el mío. Le puse «Miau-Miau».

—¡Señor, dame fuerzas! —exclamó el profesor.

—¿Por qué no votamos? —sugirió Elsie.

—Las mujeres no tienen derecho a votar —replicó el hombre con malos modos.

La niña hizo una mueca.

—Todavía no, pero en esto sí que podemos votar.

—¿Por qué? —preguntó el profesor.

—Porque lo digo yo. Que levante la mano quien quiera poner «Lanita» a este mamut —dijo Elsie.

Lucy y ella levantaron la mano.

—Está usted en minoría, profesor —le dijo la niña con retintín.

—¡ME CACHIS EN LA MAR SALADA! —estalló el hombre.

—¿Qué nombre había pensado usted? —preguntó Lucy.

—¡Iba a llamarla como yo!*

* Hay muchas cosas que llevan el nombre de las personas que las hicieron famosas. Por ejemplo, la palabra «leotardo» viene de J. Léotard, un acróbata que popularizó esta prenda de vestir.

—Vaya, qué sorpresa... —murmuró la mujer.

—¿Iba a llamarla «Profesor»? —preguntó Elsie con cara de confusión.

—No, claro que no. ¡Iba a llamarla «mamut Profesor Osbert Bertram Cuthbert Farnaby Beverly Smith»!

—Un pelín largo... —señaló Lucy—. Ni hablar. Se tarda media vida en decirlo. Se llama Lanita y punto.

—¡No es justo! —protestó el hombre.

—Y no se le ocurra tocarla, Oswald Barnaby Custard Beatrice o cómo demonios se llame. No le cae usted bien —dijo Elsie—. LANITA... ¿LANITA...?

La niña volvió a alargar la mano, y lentamente el animal estiró la trompa, aunque el resto de su cuerpo siguió sumido en la oscuridad. Elsie tocó la punta de la trompa y luego la acarició de arriba abajo.

—¡La pobre estará hambrienta! —dijo Lucy—. Yo lo estaría si llevara diez mil años durmiendo. ¿Le preparo un buen sándwich de queso y pepinillos?

—Los mamuts no comen sándwiches de queso y pepinillos —replicó el profesor.

—¿De jamón y pepinillos?

—¡NO! Tampoco comen sándwiches de jamón y

pepinillos. No comen sándwiches de ningún tipo. El sándwich* no existía hasta hace cien años.

—Muy bien, señor sabelotodo. ¿Y qué comen los marabúes? —preguntó Lucy, encarándose con el profesor.

—¡Son herbívoros! —contestó el hombre.

—¿Herbiqué? —farfulló la mujer.

—¡Hierba, hojas, plantas! ¡Montones de plantas!

—Pues será mejor que la llevemos al parque cuanto antes —apuntó Elsie.

El profesor negó con la cabeza.

—¡No podemos sacar a esta criatura de paseo!

—¿Por qué no? —preguntó la niña.

—PORQUE DEBE ESTAR EN UNA JAULA.

* Otra palabra con nombre de persona, el cuarto conde de Sandwich, que fue su inventor.

Capítulo 34

UNA JAULA

—¿En una jaula? —exclamó la niña—. ¡No puede usted encerrar a Lanita entre barrotes!

El mamut debió de intuir que los dos humanos estaban en desacuerdo, y se escondió detrás de Elsie (todo lo que un mamut puede esconderse detrás de una niña, es decir, no demasiado).

—Sí, en una jaula. Es lo más seguro para una criatura tan peligrosa —razonó el hombre.

Dicho esto, se fue en la silla de ruedas hasta la entrada principal y accionó una palanca.

Al instante se abrió una trampilla en el suelo por la que empezó a subir una inmensa jaula metálica.

¡CLONC, CLANC, CLINC!

El ruido resonaba por todo el vestíbulo, haciendo que el mamut se replegara cada vez más en la oscuridad.

La trampilla se cerró con gran ESTRUENDO.

—¡Mirad! —exclamó el profesor, todo orgulloso—. Ahí dentro hay comida y agua para el animal —añadió, señalando los dos comederos que había a un lado.

—¡Pero si casi no cabe ahí dentro! —protestó la niña.

—Aquí estará a salvo. Confía en mí.

Elsie estaba que se subía por las paredes.

—No me fío ni un pelo de usted. Esto no formaba parte del plan.

—¿De veras creías que dejaría que una criatura de diez mil años de antigüedad corriera a sus anchas por las calles de Londres?

—Pero... yo... quiero decir... —Por una vez, Elsie se había quedado sin palabras.

Lucy estaba a su lado.

—¡La niña solo pretendía liberar a Lanita! —exclamó.

—Y hemos **liberado** al monstruo —empezó el profesor—. Lo hemos **liberado** del hielo. Lo hemos **liberado** del olvido. Ahora es **libre** de vivir el resto de su vida en esta jaula. Y yo soy **libre** de cobrar lo que quiera a quienes deseen verlo. **¡Ya lo creo!** Podré abrir mi propio zoo prehistórico, el único de todo el mundo. **Me voy a hacer de oro**. Mil libras la entrada. La gente vendrá de todos los confines del planeta para ver al **monstruo**.

—¡USTED SÍ QUE ES UN MONSTRUO! —estalló Elsie—. ¡Nunca me habría metido en esto si hubiese sabido que ese era su plan!

—Ya me lo imaginaba, pequeña. Por eso he mantenido en secreto esta parte del plan hasta que ya no me fueras de ninguna utilidad. Gracias. Y buenas noches. Puedes marcharte.

—¡No va a salirse con la suya! —chilló la niña.

—Acabo de hacerlo —fue la respuesta. El profesor cruzó el vestíbulo en su silla de ruedas y, cuando llegó a la jaula, cogió un puñado de hierba y lo agitó en el aire—. Ven aquí, mamut profesor Osbert Bertram Cuthbert Farnaby Beverly Smith. ¡Es hora de cenar!

El mamut no se movió ni un milímetro. El profesor lo miró con cara de pocos amigos y luego sacó una pistola de la alforja de cuero de su silla de ruedas.

—Puede que esto lo convenza —dijo, apuntando con el arma al mamut.

Elsie se plantó delante de Lanita.

—¡Tendrá que matarme a *mí* primero! —dijo.

Capítulo 35

EL SUEÑO ETERNO

—¡Y a mí también! —añadió Lucy, situándose detrás de la niña, en una posición ligeramente más segura.

—No será usted capaz de matar a una criatura maravillosa después de haberle devuelto la vida, ¿verdad? —preguntó Elsie.

—Esta pistola no dispara balas, sino dardos —contestó el profesor—. Los dardos contienen un potente somnífero, capaz de dejar a un elefante inconsciente en cuestión de segundos.

—¿Y qué le haría a una persona? —preguntó Elsie, que para entonces estaba muy asustada.

El profesor sonrió para sus adentros.

—A una persona la pondría a dormir para siempre.

—¿Me está diciendo que va a matarnos hasta dejarnos **MUERTAS**? —preguntó Lucy.

—Eso que has dicho no tiene mucho sentido pero, en resumidas cuentas, sí —contestó el hombre, apuntándole con la pistola.

—Es usted el hombre **más malvado** del mundo —dijo la niña.

—Gracias —replicó el profesor.

—Si tengo que dar la vida por Lanita, lo haré —afirmó Elsie—. No dejaré que pase el resto de su vida encerrada en una jaula.

—No puedes detenerme, pequeña.

—Pero a lo mejor yo sí —dijo Lucy.

La mujer cogió lo poco que quedaba del cesto de mimbre del globo aerostático y lo empujó con todas sus fuerzas en la dirección del profesor. El cesto se deslizó por el suelo del vestíbulo principal.

¡ F I U U U !

El profesor giró la silla de ruedas rápidamente para esquivar el golpe y el cesto se estrelló contra la pared.

¡PUMBA!

—Tendréis que esforzaros más —dijo con una sonrisita malévola—. Pero que mucho más.

Elsie cogió uno de los huesos de diplodocus que el mamut había esparcido por el suelo.

—¿Qué le parece esto? —preguntó, arrojándolo en su dirección.

—Hasta nunca, pilluela —dijo el hombre, apuntando con la pistola a su pecho.

El profesor apretó el gatillo.

¡BANG!

Sin pensárselo, Elsie usó el hueso para defenderse. El dardo se clavó en él.

¡ÑACA!

—¡JA, JA! —rio la niña.

—No te preocupes, pequeña. Tengo muchos más dardos. Muchos más.

El hombre empezó a hurgar en la alforja, lo que concedió a Elsie y Lucy unos instantes preciosos para reaccionar. La niña cogió una punta del globo.

—¡AYÚDAME, DEPRISA! —gritó a Lucy.

Juntas corrieron hacia el profesor y le echaron el globo desinflado encima, como si fuera una gran sábana.

¡ZAS!

—¡QUITADME ESTA COSA DE ENCIMA! —chilló el anciano, sepultado bajo mil pañuelos de seda y un par de pololos de señora.

—¡ATÍZALE EN LA CABEZA CON EL HUESO DE DINOSAURIO! —gritó Lucy.

Elsie nunca había atizado a nadie en la cabeza, y menos aún con un hueso de dinosaurio, pero siempre hay una primera vez para todo. La niña se precipitó hacia el profesor, que se debatía bajo el globo, y se quedó allí plantada sin saber muy bien qué hacer.

—¡¡¡DALE FUERTE!!! —ordenó Lucy.

Elsie obedeció.

¡CLONC!

—¡AY! —chilló el profesor.

—¡No ha sido lo bastante fuerte! —dijo la mujer.

—¡SÍ QUE LO HA SIDO! —protestó el profesor con voz ahogada.

—¡MÁS FUERTE!

Elsie lo golpeó de nuevo.

¡CATAPLÁN!

—¡AAAY!

—¡Más fuerte todavía! —insistió Lucy.

—¡NOOO! —suplicó el profesor.

—A la tercera va la vencida —murmuró Elsie, y dejó caer el hueso sobre la cabeza del hombre con todas sus fuerzas.

¡CATAPUUUMBA!

Esta vez el profesor no dijo ni mu, sino que se desplomó en la silla de ruedas.

¡PLOF!

—Puede que se te haya ido un poquito la mano —observó Lucy.

Elsie miró el gran agujero que la mujer había hecho en el techo de cristal al caer con el globo. La tormenta de nieve había pasado, y lentamente la noche daba paso al día.

—Tenemos que sacar a Lanita de aquí —dijo Elsie—. No hay tiempo que perder.

Dieron media vuelta, pero el mamut había desaparecido sin dejar rastro.

—Oh, no —dijo Lucy—. ¡La hemos perdido!

•⁓✱⁓•

Capítulo 36

COMO PERDER A UN MAMUT

A lo mejor creéis que un mamut es algo demasiado grande para perderlo, pero eso era exactamente lo que les había pasado a Elsie y Lucy.

—¡LANITA! —la llamaba la niña.

—Dudo mucho que venga corriendo como un perro —apuntó la mujer.

—No puede haber llegado muy lejos.

Elsie buscó huellas de mamut en el suelo del museo. Había un rastro que subía por la escalera.

—¡Se ha ido arriba! —exclamó la niña.

—¡No fastidies! —dijo Lucy—. Justo anoche fregué los pisos superiores.

—¿Por qué se iría arriba?

La mujer se lo pensó unos instantes.

—¿Tal vez quisiera ver la colección de mariposas?

Elsie negó con la cabeza.

—Venga, vámonos arriba a ver si la encontramos.

Aparte del aullido del viento, que se colaba por las ventanas rotas, reinaba un silencio inquietante en el museo. Elsie y Lucy siguieron las huellas hasta la última planta del edificio, donde se interrumpían justo delante de la biblioteca.

—No sabía que los elefantes pudieran leer —comentó Lucy.

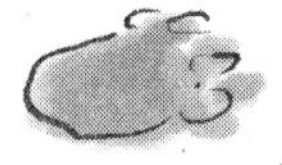

Elsie negó con la cabeza, atónita.

—¿Y ahora qué?

—Bueno, esta es la última planta del museo. No puede haber salido al...

Antes de que Lucy dijera «tejado», se oyó un estruendo ensordecedor por encima de sus cabezas.

¡CATACRAC!

Se miraron la una a la otra. Sobraban las palabras.

¡CATAPLUM!

Empezaron a caer escombros del techo.

—¿Cómo salimos al tejado desde aquí? —preguntó la niña.

—El único camino es este. Sígueme.

Subieron a trompicones un tramo de escaleras.

Al fondo, había un boquete en la pared del tamaño de un mamut.

—¡Lo está dejando todo perdido! —refunfuñó Lucy.

Cuando se asomaron al boquete, se toparon con una escena asombrosa: el mamut estaba en el tejado, contemplando el perfil de Londres mientras el sol salía sobre el horizonte.

La escena habría dado un cuadro perfecto, pero por desgracia no había tiempo para pintarla.

—¡LANITA! —gritó la niña, saliendo al tejado—. ¿Qué haces aquí arriba?

El animal decidió emplear con ella el mismo truco que Elsie usaba con los adultos: hacer oídos sordos y seguir como si nada.

—¿Qué está mirando? —preguntó Lucy.

Elsie siguió la mirada de la criatura.

—¿El teatro Royal Albert Hall? ¿Hyde Park? ¿El estadio de críquet?

—¿A los marabúes les gusta el críquet? —preguntó Lucy.

—No creo.

—Yo tampoco. Debe de ser complicado sujetar el bate con la tropa —caviló.

—Lucy, ¿qué hay más allá del estadio de críquet? —quiso saber la niña, que nunca se había alejado demasiado de las calles más céntricas de la ciudad.

—Hampstead Heath —contestó Lucy.

—¿Y más allá?

—Highgate Hill.

—¿Y más allá?

—No lo sé. Nunca estudié historia en la escuela.

—¡Dirás geografía!

—¡Eso tampoco!

Elsie se acercó a Lanita y le dio unas palmaditas en el costado.

—*¿Qué estas mirando, amiga mía?* —le preguntó en un susurro, pero el animal siguió mirando al frente.

Alzó la trompa barritó con pena.

—¡HIII!

La niña echó los brazos alrededor del mamut para darle un abrazo. El animal se arrimó a Elsie y la envolvió con la trompa.

—No te acerques tanto al borde, Lanita, por favor —dijo, tirando suavemente del mamut.

Lucy dio un paso adelante.

—¡Me está dando vértigo! —exclamó.

—¡Ahí está la ladrona! —gritó alguien desde abajo.

Elsie se asomó al borde del tejado.

Había toda una brigada de policías mirando hacia arriba.

•⁓✶⁓•

Capítulo 37

¡BANG, BANG, BANG!

—¡BAJA DE AHÍ AHORA MISMO! —ordenó alguien a gritos.

Elsie conocía esa voz. Era el jefe de policía, el inspector Gruñido.

—Nos han informado que una señora gruesa se ha precipitado desde el cielo en un globo aerostático y ha roto el techo de cristal del museo.

—¡No he sido yo! —respondió Lucy—. ¡Tiene que ser otra señora gruesa que pilotaba un globo aerostático!

—¡Antes se pilla a un mentiroso que a un cojo! —vociferó el inspector desde abajo.

Elsie estaba temblando.

—¡Lucy! Como nos cojan, nos meterán entre rejas para siempre, y no quiero ni pensar en lo que le harán a Lanita.

—Ay, madre. Ay, madre. Ay, madre, madre, madre.

—Por favor, para de decir «ay, madre». ¡Tenemos que encontrar el modo de salir de aquí o vamos listas!

—¡Ay, madre! —La pobre mujer no podía evitarlo—. Ay, madre, no quería decir «ay, madre». Ay, madre.

—¡TENÉIS DIEZ SEGUNDOS PARA RENDIROS O NOS VEREMOS OBLIGADOS A DISPARAR! —bramó el inspector Gruñido. Y entonces se oyó cómo sus hombres amartillaban los fusiles.

¡CLIC, CLIC, CLIC!

—¿Alguna vez has montado a caballo? —preguntó Elsie.

—No.

—¿En burro?

—Tampoco.

—¡DIEZ! —contó el inspector.

—¿Alguna vez te has montado en un tiovivo?

—Qué va.

—Yo tampoco, pero no será para tanto, ¿no?

—¡NUEVE!

—¿Estás pensando lo que creo que estás pensando? —preguntó Lucy.

—¡OCHO!

—¿Qué estoy pensando? —replicó la niña.

—¡SIETE!

—¿Que vas a montarme como si fuera un caballo...?

—¡SEIS!

—No es eso lo que estoy pensando —dijo Elsie.

—¡CINCO!

—Ay, madre.

—¡CUATRO!

—Estoy pensando que si queremos salir de aquí tendremos que hacerlo a lomos del mamut.

—¡TRES!

—Ay, madre.

—¡DOS!

—Sí, lo sé. Ay, madre. Pero ahora mismo no veo otra salida.

—¡UNO!

—¡De acuerdo! —dijo Lucy.

Cogieron un colmillo cada una y, con todas sus fuerzas, obligaron al mamut a retroceder, apartándolo del borde del tejado.

—¡FUEGO A DISCRECIÓN! —ordenó el inspector a berrido limpio desde abajo.

Los disparos resonaron en el cielo de Londres.

•⁓*⁓•

Capítulo 38

UNA PALMADITA EN EL CULETE

¡BANG! ¡BANG! ¡BANG! ¡BANG! ¡BANG! ¡BANG! ¡BANG! ¡BANG! ¡BANG! ¡BANG! ¡BANG! ¡BANG! ¡BANG! ¡BANG! ¡BANG! ¡BANG!

—¡HIII! —barritó el mamut.

Como era una criatura prehistórica, nunca había oído disparos, y se asustó tanto que empezó a dar bandazos.

—¡ARGH! —exclamó Lucy.

—¡SUJÉTATE! —gritó Elsie.

Las dos amigas se agarraron con uñas y dientes a los colmillos del animal.

—¡NO TE SUELTES! —le advirtió la niña.

Si lo hicieran, saldrían disparadas de lo alto del tejado y acabarían convertidas en papilla humana.

¡BANG!¡BANG! ¡BANG! ¡BANG! ¡BANG! ¡BANG! ¡BANG! ¡BANG! ¡BANG!

El mamut se batió en retirada por el boquete que había hecho antes en la pared. Ahora estaba dentro del museo, arrastrando consigo a sus dos nuevas amigas.

En cuanto se vio a salvo, Elsie soltó el colmillo y cayó al suelo.

¡PUMBA!

Mientras tanto, Lucy seguía colgada del otro colmillo del mamut, que la zarandeada de aquí para allá como si fuera una muñeca de trapo.

—¡SOCORRO! —chilló.

—¡SUÉLTATE!

—¿QUÉ?

—¡HE DICHO QUE TE SUELTES!

Finalmente, Lucy le hizo caso y se dio de morros en el suelo.

¡PLAF!

—Este suelo necesita un buen pulido —dijo.

—¡No hay tiempo para eso! —exclamó la niña—. ¡Tenemos que huir!

¡BANG!¡BANG! ¡BANG! ¡BANG! ¡BANG! ¡BANG! ¡BANG! ¡BANG! ¡BANG! ¡BANG! ¡BANG! ¡BANG! ¡BANG! ¡BANG! ¡BANG! ¡BANG! ¡BANG! ¡BANG!

—¡RECARGUEN! —ordenó el inspector Gruñido.

Los disparos se interrumpieron por unos instantes, y el mamut dejó de corretear desesperado. La niña le dio unas palmaditas y le acarició la trompa, lo que contribuyó a tranquilizarlo.

—Lanita, nunca dejaré que te pase nada malo, te lo prometo —le susurró—. Pero tendrás que confiar en mí, ¿de acuerdo? Ya sé que así de entrada no va a gustarte la idea, pero es nuestra única esperanza de salir de aquí. ¡Lucy, ayúdame a subir!

—¿Estás segura de que es una buena idea?

—No, pero es la única que tenemos.

Elsie apoyó una mano en el hombro de la mujer. Lucy entrelazó las manos y la niña las usó como escalón para trepar al lomo del animal.

—¡Buena chica! —exclamó Elsie. Luego apretó con las piernas los flancos del animal y cogió dos mechones de pelo a modo de riendas. Para su sorpresa, el mamut no se opuso, y ni siquiera rechistó. De hecho, daba la impresión de estar muy cómodo con la nueva situación. Elsie alargó la mano para ayudar a Lucy a subir.

—¡VAMOS! —ordenó la niña.

La mujer ya no era joven, y le costó auparse hasta el lomo del animal. Cuando lo consiguió, tampoco fue capaz de sentarse a horcajadas, como Elsie, por lo que se quedó tumbada boca abajo sobre la grupa del mamut, con la cabeza hundida en su pelo. No era lo que se dice una estampa muy digna.

—¿Estás cómoda? —preguntó Elsie.

—Pues claro que no —replicó la mujer—. Pero será mejor que nos pongamos en marcha.

—Si estás segura...

La niña había visto a las damas y caballeros montando a caballo por los parques de Londres, por lo que tenía alguna idea de cómo se hacía. Clavó los talones en los costados del animal, tiró de los mechones de pelo y ordenó:

—¡ARRE!

Por desgracia, el mamut no se movió ni un milímetro.

—Ay, madre... —murmuró Lucy, lo que tampoco es que fuese de gran ayuda.

—Lucy —dijo la niña.

—¿Sí, pequeña?

—¿Te importaría darle una PALMADITA en el culete a nuestra amiga prehistórica?

—Si estás segura...

—Lo más suavemente que puedas, solo para ver si conseguimos que se mueva.

—Entendido.

Entonces la mujer hizo lo que le pedían. Levantó un poco la mano y la dejó caer sobre la grupa del animal.

¡PLAF!

—¡HIII!

En vez de ponerse a trotar alegremente, el mamut rompió a galopar a lo loco.

—¡SOOO! —gritó Elsie mientras se precipitaban escaleras abajo.

Capítulo 39

UNA DESAGRADABLE SORPRESA

La pobre Lucy botaba arriba y abajo a cada paso del mamut.

¡PUMBA, PUMBA, PUMBA!

—¡AY, AY, AY!

Mientras bajaban la escalera a trompicones sobre el lomo del animal, Elsie y Lucy se toparon con una

desagradable sorpresa. El profesor había vuelto en sí. Allí estaba, todo tieso en su silla de ruedas al pie de la escalera, con la pistola de dardos en la mano.

—Tendrías que haberme golpeado un pelín más fuerte —dijo.

—Ojalá lo hubiese hecho —replicó Elsie.

Lucy, que seguía tendida sobre la grupa del animal con la cara hundida en su pelo en esa postura tan indigna, tardó un poco más en comprender qué estaba pasando.

—¡Oh, no! ¡No me digas que ese hombre ha vuelto! —exclamó.

—Preparaos para MORIR —dijo el profesor, y apuntó con la pistola al trasero de Lucy.

Al otro lado de la pesada puerta de madera que había a su espalda, se oyó un estruendo ensordecedor.

¡CATAPLÁN!

—¿Qué es eso? —preguntó Elsie.

—Eso es la policía, que va a tirar la puerta abajo —dijo el profesor.

¡CATAPLÁN!

Otra vez.

—¡Tengo el tiempo justo para mataros y decir que el monstruo me pertenece!

¡CATAPLÁN!

¡Otra vez!

—¡Qué bien me lo voy a pasar!

¡CATAPUUUMBAAA!

A espaldas del profesor, la puerta del museo cedió al fin y se abrió de par en par.

¡CATACRAC!

Las astillas volaron en todas las direcciones.

El ariete, que era un gran tronco sobre ruedas, había cogido tal impulso que los policías no pudieron detenerlo.

¡ZAS!

Fue derecho hacia el profesor y se estrelló contra el respaldo de su silla de ruedas.

¡PUMBA!

—¡ARGH!

La fuerza del impacto hizo que la silla saliera rodando a toda velocidad...

¡FIUUU!

... y se empotrara contra una vitrina de cristal llena de grandes simios disecados.

¡CATAPLUM!

El profesor salió volando de la silla de ruedas...

¡ALEHOP!

... y atravesó el cristal.

¡CATACRAC!

Con el golpe, volvió a perder el conocimiento y fue a aterrizar justo entre dos gorilas. Allí pasmado y con la boca abierta, bien podía haber pasado por uno de ellos.

Todo este jaleo sobresaltó al mamut, que soltó un monumental...

—¡HIIIIIIIII!

Elsie le dio unas palmaditas y le dijo:

—¡Tranquila, Lanita!

Pero era en vano. El animal avanzó a grandes zancadas hacia los policías que estaban en la puerta. Los agentes gritaron...

—¡SOCORRO!

—¡NOOO!

—¡NO ME LO PUEDO CREER!

—¡ESTÁ VIVO!

—¡EL CÓMOSELLAME DE LAS NIEVES!

—**¡UN MONSTRUO DE VERDAD!**

—¡NO NOS HAN ENTRENADO PARA LUCHAR CONTRA MONSTRUOS!

—¡A MÍ NO ME PAGAN PARA ESTO!

—¡MI MAMÁ ME DIJO QUE VOLVIERA A LA HORA DE DESAYUNAR!

... mientras se apartaban como podían de la bestia enfurecida.

Elsie y Lucy se agarraron al mamut con uñas y dientes mientras el animal salía del museo al galope.

—¡ID TRAS ELLOS, MAMARRACHOS! —bramó el inspector—. ¡ESE MONSTRUO ES PROPIEDAD DE LA REINA! ¡TENEMOS QUE TRAERLO DE VUELTA, YA SEA VIVO O MUERTO!

Capítulo 40

BALINES DE CHOCOLATE

Lanita era mucho más rápida que los policías. Para cuando se pusieron en marcha, ya no quedaba ni rastro del mamut. La criatura salió galopando del recinto del **MUSEO DE HISTORIA NATURAL** y enfiló la calle a toda velocidad.

—¡HIII!

Por más que lo intentara, Elsie no conseguía que el animal frenase. La pobre Lucy iba dando tumbos sobre el trasero del mamut.

—¡AY, UY, AY!

Londres se estaba desperezando, y un puñado de vendedores ambulantes avanzaba con sus carritos cargados de mercancías por las calles cubiertas de nieve.

—¡Cuidado con mis huevos! —gritó uno cuando una enorme pata cayó sobre su carretilla.

—¡Cuidado con mis canicas! —chilló otro mientras las bolitas de vidrio salían volando desperdigadas.

—¡Habéis aplastado mis balines de chocolate! —bramó una voz familiar.

—Ese solo puede ser Raj —dijo Lucy.

—¿Quién? —preguntó Elsie.

—¡Raj! Vende dulces en el mercadillo —contestó Lucy—. ¡HOLA, RAJ!

El hombre sonrió al verla y la saludó con la mano.

—¡Anda! ¡Hola, señorita Lucy, mi clienta preferida! ¡Hoy tengo unos bastones de regaliz semichupeteados en oferta!

—¡NO PUEDO PARAR, RAJ!

—Cuando quieras vuelve por aquí con ese borrico gigante y peludo de la narizota larga y le daré un terrón de azúcar.

—¡ES UN MARABÚ!

—¡Lo siento, no hablo francés!

El mamut seguía galopando por las calles nevadas.

—**¡HIII!** —barritó.

—¿Adónde nos lleva? —preguntó Lucy.

—¡No lo sé! —replicó Elsie—. ¡Pero sea donde sea, vamos a llegar allí en un periquete!

Con esfuerzo, Lucy levantó la cabeza para verlo con sus propios ojos.

—¡Al norte! —exclamó—. ¡Estamos yendo hacia el norte!

—¡La brújula siempre señala el norte! —dijo la niña.

Un poco más allá estaba el hombre anuncio que Elsie había visto delante del **MUSEO DE HISTORIA NATURAL**. Al ver al mamut corriendo en su dirección, gritó:

—¡LA BESTIA ESTÁ VIVA! ¡SE ACERCA EL FIN!

—¡Se acerca TU fin si no te quitas de en medio! —chilló la niña.

Elsie tiró de los mechones del mamut en el último segundo y esquivaron al hombre por los pelos (nunca mejor dicho).

—¡SE ACERCA EL FIN, PERO LE HE DADO ESQUINAZO! —gritó a su paso.

—Lanita acabará aplastando a alguien si no tenemos cuidado —advirtió Elsie—. Hay que sacarla de las calles, esconderla en algún sitio.

—Se me ocurre el lugar perfecto —dijo Lucy.

—¿Cuál?

—El Royal Hospital. No queda lejos de aquí. Retaco vive allí, él nos ayudará.

—¿Y cómo se va hasta allí?

—¿Puedes controlar sus movimientos?

—Un poco.

—Pues dobla a la derecha.

La niña tiró del pelo del lado derecho del mamut y el animal torció en esa dirección.

—Pero Lucy, ¡no podemos presentarnos allí con un mamut como si tal cosa!

La mujer se quedó perpleja.

—Anda, tienes razón. Me da que solo admiten a soldados retirados. No creo que dejen entrar animales.

—¡Prehistóricos, además!

—Ya. Dudo que sean bienvenidos.

—Además, alguien podría chivarse.

—Hay que disfrazarla de algún modo! —dijo la niña.

—Podríamos afeitarla y decir que es un elefante.

—¡Ahora caigo!

—¡No te caigas, tesoro, agárrate fuerte!

—Quiero decir que tengo una idea.

Elsie dirigió al mamut hacia un callejón oscuro, al fondo del cual había una lavandería con muchas sábanas tendidas en una cuerda.

—Solo tenemos que coger prestadas esas sábanas de ahí.

—¿Para qué demonios las queremos?

—Ya lo verás.

Capítulo 41

EL OJO BUENO

—¿QUE ES UN QUÉ? —preguntó el guardia que custodiaba la entrada del Royal Hospital. Era un viejo soldado cascarrabias, un general de brigada, nada menos, con la pechera de su chaqueta roja llena de medallas. Lucía un monóculo en el ojo izquierdo y un parche en el derecho.

—¡Es un nuevo modelo ultrasecreto de carro de combate! —contestó Elsie al tiempo que señalaba el mamut, oculto bajo las sábanas.

—¡PAPARRUCHAS!

—¡No son paparruchas! Es un arma de reciente creación. Tenemos órdenes de llevarla al recluta Thomas —añadió Lucy.

—¿Thomas el Retaco?

—¡Ese es! El que no es muy alto.

—¡Decir que no es muy alto es quedarse corto! —dijo

el general, soltando una risotada—. ¡Retaco es tan poca cosa que a veces lo confunden con un soldadito de plomo! ¡Ja, ja, ja!

Lucy estaba empezando a cabrearse. No le gustaba ni un pelo que hablaran así del amor de su vida.

—¡Puede que sea pequeño, pero lo tiene todo en su sitio!

—¡Retaco tiene setenta y tres años bien cumplidos —replicó el general—, y ni siquiera llegaría a los pedales de ese cacharro! ¿Para qué demonios lo quiere?

—¡Ya le hemos dicho que se trata de algo ultrasecreto! —replicó Elsie—. Si se lo dijéramos, ya no sería ultrasecreto.

El anciano soldado no parecía tenerlas todas consigo.

—¿Y vosotras quiénes sois, si puede saberse?

—¡Eso también es ultrasecreto! —contestó Elsie.

—¡Haga el favor de abrir de una vez! —ordenó Lucy.

—**¡HIII!** —barritó el mamut, y levantó la trompa por debajo de la sábana.

El general de brigada parecía cada vez más y más desconfiado.

Elsie y Lucy se miraron, nerviosas.

—¿Qué ha sido eso? —preguntó el hombre.

—¿Eso? —replicó Lucy.

—¡Sí, eso!

—Bueno, verá, ejem... —empezó Elsie—. Ha sido el cañón o cómo se llame, que se ha levantado.

La niña presionó la trompa del mamut hacia abajo y Lanita volvió a barritar:

—**¡HIII!**

—¡Esa cosa acaba de hablar! —exclamó el general de brigada.

—¡Qué va!

—¡Que sí!

—¡Que no!

—¡Que sí!

—¡He sido yo! —intervino Lucy.

—Yo la he estado observando todo el rato —dijo el viejo soldado.

—¿Con el ojo bueno?

—¡Sí, con el ojo bueno! Y sé que usted no ha movido ni un solo músculo.

—Bueno... —empezó Lucy—. Eso es porque...

—¡Desembuche de una vez!

—Eso es porque el sonido ha salido de... mi pompis.

—¿De su pompis, señora?

Capítulo 42

ATAQUE POR LA RETAGUARDIA

—¡Ha sido un pedete! —explicó Lucy.

—¡Pues yo no huelo nada! —protestó el general de brigada, acercando la nariz a la mujer y olisqueando el aire.

—¡Qué suerte la suya! —intervino Elsie, arrugando la nariz y fingiendo que se abanicaba—. ¡PUAJ! ¡VAYA PESTE!

—Qué ordinariez, desde luego —dijo el viejo soldado—. No tenía ni idea de que las damas pudieran... por así decirlo... lanzar un ataque gaseoso.*

—Por desgracia, ocurre... —musitó Lucy.

—¡HIII!

—¡Ya está mi pompis otra vez!

—¡HIIIIIIII!

—¡Hoy está imparable!

* He aquí otros términos militares que el general de brigada podría haber usado para referirse a las ventosidades: salva de un solo cañón, carga de profundidad, granada invisible, bomba fétida, ráfaga de artillería, ataque por la retaguardia.

El general de brigada se puso rojo como un tomate.

—Señora, ¿tiene usted algún control sobre su... por así decirlo, cañón posterior?

—¡HIII!

—Parece ser que no —contestó Lucy—. Tengo un trasero travieso y traicionero.

Elsie notaba que el mamut se estaba poniendo cada vez más nervioso.

—¡Por favor, déjenos pasar antes de que se tire otro!

—¡Esto es lo nunca visto! —refunfuñó el viejo soldado, pero abrió la verja y les hizo el saludo militar mientras las tres insólitas visitantes entraban en el recinto del Royal Hospital.

—Muchas gracias —dijo Elsie.

—¡HIIIIII!

—¡Pompis malo! —exclamó Lucy, dándose un azote en su propio trasero.

Mientras cruzaban el césped en dirección al edificio, Lanita se detuvo. Con la trompa, empezó a hurgar bajo la nieve para comer la hierba congelada.

—¡GRUNF, GRUNF, GRUNF!

Llevaba diez mil años sin probar bocado, así que estaba muy hambrienta. Por más que Elsie y Lucy intentaran hacerla avanzar, no hubo manera. Bajo las sábanas, comía a dos carrillos. Debió de zamparse una tonelada de hierba antes de darse por satisfecha.

Desde su puesto de centinela, el general de brigada contemplaba la escena. Se llevó un catalejo al ojo bueno y siguió las extrañas maniobras que tenían lugar en los jardines del Royal Hospital.

—¡Solo estamos repostando! —informó Elsie a grito pelado.

El viejo soldado negó con cabeza.

—Qué carro de combate más extraño.

—Sí, también puede usarse como máquina cortacésped —explicó Lucy.

Justo cuando creían que se saldrían con la suya, ocurrió lo inevitable: el animal soltó una boñiga de mamut.

¡PPPFFF!

¡PLOF!

La caca prehistórica cayó sobre la nieve. Era tal como cabría esperar que fuera una caca de mamut: enorme, marrón y apestosa.

—Estamos probando un nuevo tipo de armamento —explicó Elsie.

—Es una bomba fétida —añadió Lucy.

—No se preocupe —empezó Elsie—. ¡No es explosiva! —Y añadió para sus adentros—: O eso creo.

—¡Me da igual, no podéis dejarla en el césped! —vociferó el general de brigada.

—¿Qué quiere que hagamos con ella? —preguntó Elsie.

—Volver a meterla en el cañón.

Elsie y Lucy miraron el trasero del mamut.

—No estoy segura de eso vaya a funcionar —advirtió Lucy.

—Yo diría que es más una salida que una entrada.

—¡Pues entonces recogedla! —ordenó el hombre.

—¿Yo? —preguntó Lucy. Llevaba cuarenta años trabajando como mujer de la limpieza y estaba curada de espantos, pero aquello era la repanocha.

—Sí, tú —dijo Elsie.

La mujer miró a la niña con cara de pocos amigos.

—No te quedes ahí parada, mujer. ¡Manos a la obra! —bramó el general de brigada.

Lucy se agachó a regañadientes. Apartando el rostro de la caca humeante, la cogió con las manos. Luego se levantó y estiró los brazos todo lo que daban de sí.

—¡Ya era hora! —exclamó el general de brigada.

Las tres insólitas amigas siguieron adelante. La niña no podía evitar sonreír, lo que hizo que Lucy se pusiera de muy mal humor.

—¿Nos cambiamos? —preguntó, aunque ya sabía la respuesta de antemano.

—Estoy bien así , gracias —contestó Elsie, guiando al mamut por el patio.

Fue entonces cuando se fijó en un soldado mayor y muy bajito que las miraba desde una de las ventanas superiores. ¡Estaba sonriendo, saludando con la mano y lanzando besos a diestro y siniestro!

—¡RETACO! —exclamó Lucy.

Capítulo 43

GRAN ERROR

—A mí me parece que no es más que un elefante peludo —dijo Retaco con la musicalidad de su acento galés.

Elsie estaba contenta de conocer por fin al hombre del que tanto había oído hablar. Era tan bajito como decían, desde luego. Hasta ella lo superaba en estatura. De hecho, Lucy era tan ancha como alto era él. No se podía negar que hacían una pareja curiosa de ver, pero lo importante era que parecían quererse con locura.

El animal estaba bebiendo agua en los lavabos del Royal Hospital, y tenía la trompa metida en la taza del váter.

—¡Qué va a ser un elefante peludo! —replicó Elsie, ofendida—. Es un mamut lanudo.

—¡Nunca he oído hablar de semejante criatura! —se burló Retaco.

—¡Eso no quiere decir que no exista! Es un animal prehistórico.

—Yo también soy prehistórico, y no recuerdo ver a estos bichos en los valles de Gales cuando era pequeño.

—Eso es porque el mamut lanudo se extinguió hace miles de años.

—¿Y vosotras lo habéis traído de vuelta a la vida, es eso? —preguntó el hombre con una risotada.

—Pues sí —replicó Elsie—. ¡Eso es justo lo que hemos hecho!

Al oír esto, el viejo soldado se quedó patidifuso. Miró a Lucy en busca de confirmación, y ella asintió en silencio.

—¿Y qué diantres hace aquí? —preguntó.

—La verdad, ¡esperaba que pudieras ayudarnos a esconderlo! —reveló Lucy.

—¿Yo?

—Sí.

—¿Aquí?

—Sí.

—¿Un gran elefante peludo?

—No —intervino Elsie para corregirlo—. Es un mamut lanudo.

—¿Durante cuánto tiempo? —preguntó el hombre.

—Viven cincuenta años o más.

—¿CINCUENTA AÑOS?

—Sí. No es más que un bebé.

—¿Y cómo de grande se hará?

—Más o menos del tamaño de una casa.

—¿De una casa?

Justo entonces, alguien tiró de la cadena en el cubículo contiguo.

¡CHAF!

Un hombre viejo y arrugado como una pasa salió de dentro apoyándose en un bastón. Vestía camisón y gorra militar. Los tres amigos se miraron, al borde del pánico. No tenían ni idea de que el anciano estaba presente.

—Buenas, coronel —saludó Retaco.

—Yo que tú no entraría ahí hasta que pase un ratito —mascculló el hombre, abanicando el aire con la mano, con lo que esparcía aún más el hedor.

Pese a lo mal que olía, Elsie, Lucy y Retaco le sonrieron sin decir ni mu con la esperanza de que se fuera por donde había venido.

No hubo suerte.

El coronel vislumbró el trasero del mamut, que asomaba por fuera del cubículo adyacente al suyo. Se demoró unos instantes observándolo y luego comentó:

—Vaya, vaya. Qué posaderas más grandes y peludas. ¿Tenemos un nuevo soldado en nuestras filas?

—Es una mascota —contestó Retaco.

—¿Una mascota?

—Eso es. Coronel, no querrá quedarse sin desayuno. Deje que lo acompañe hasta el comedor.

El recluta tomó al coronel del brazo, pero el hombre no estaba por la labor de irse.

—¡No se pueden tener mascotas en el Royal Hospital, recluta! ¡Va en contra del reglamento!

—No se quedará mucho tiempo —replicó Retaco, mirando de reojo a Lucy.

—No más de cincuenta años, coronel —añadió la mujer.

Elsie negó con la cabeza. No podía creer que Lucy fuera tan corta.

—¡¿CINCUENTA AÑOS?! —farfulló el coronel—. ¿Pero qué clase de animal tenéis ahí?

—Es un mamut lanudo —contestó Elsie.

—¿Un qué? —preguntó el hombre.

—Es como un elefante peludo —añadió Lucy.

—¡No podemos tener a un elefante peludo en el hospital! —gritó el hombre—. ¿Adónde iremos a parar? ¡Sacad a esa condenada criatura de aquí!

Dicho esto, el coronel propinó un bastonazo al mamut en el trasero.

¡ZAS!

Gran error.

•—✱—•

Capítulo 44

POR EL OJETE

—¡NO! —gritó Elsie.

—¡HIII!—chilló el animal, y empezó a dar bandazos.

¡CATACROC!

Las mamparas de madera que separaban los cubículos quedaron hechas añicos mientras el mamut se debatía por salir de allí. Cuando el animal reculó, el coronel volvió a pegarle con el bastón.

—¡AHORA VERÁS, BESTIA DE CULO PELUDO!

¡ZAS!

—¡BASTA! —gritó Elsie. Se abalanzó sobre el anciano y le sujetó el brazo para impedir que volviera a pegar a su amiga.

—¡Quita tus sucias manos de encima, niña!

El mamut intentaba darse la vuelta en el reducido espacio del cubículo, y cuando sus colmillos golpearon la taza del váter...

¡CATACRAC!

... la rompieron en mil añicos.

¡GLU, GLU, GLU!

El agua empezó a manar a borbotones, empapándolo todo a su alrededor.

—¡PERO BUENO! —gritó el coronel.

—Ay, madre mía. ¡Venga a ensuciar! —exclamó Lucy, que no podía dejar de pensar como la mujer de la limpieza que era.

—La enfermera jefe me cantará las cuarenta... —suspiró Retaco, que iba de un váter al siguiente tratando de sentarse en todos ellos a vez para impedir que el agua llegase hasta el techo. Pero lo único que consiguió fue acabar con el trasero completamente empapado.

—¡Aaay! —exclamó cuando se vio propulsado por el poderoso chorro—. ¡El agua se me está metiendo por el ojete!

Finalmente el mamut se las arregló para dar media vuelta, arrebató el bastón de la mano del coronel y lo arrojó por los aires con la trompa.

¡FIUUU!

El bastón se estrelló contra la ventana...

¡CATAPLÁN!

... y la rompió en mil añicos.

¡CRAC!

—¡Mecachis! Ya está bien de romper cosas... —murmuró Lucy.

El nivel del agua estaba subiendo rápidamente en el lavabo, y no tardó en llegar a las rodillas de los cuatro humanos y el mamut.

Con tanto jaleo, alguien acabaría llamando a la puerta más pronto que tarde.

¡PAM!

¡PAM!

¡PAM!

—¿Qué demonios ocurre ahí dentro? —preguntó una voz de mujer.

—¡La enfermera jefe! —susurró Retaco con cara de pánico. Luego dijo en voz alta—: No pasa nada, enfermera jefe. Todo está bajo control. Hemos tenido un problemilla con la cadena del váter.

Pero el coronel, que se había encontrado con semejante percal cuando lo único que quería era hacer caca tranquilamente, estaba hasta las narices.

—¡Enfermera jefe! ¡Han metido a un gran elefante peludo aquí dentro!

—¿Ya vuelve a tener alucinaciones, coronel? —preguntó la mujer.

—¡Entre y lo verá con sus propios ojos! —bramó el coronel.

La enfermera jefe abrió la puerta del lavabo y se encontró con un mamut lanudo de diez mil años mi-

rándola fijamente. Antes de que pudiera abrir la boca para gritar, un chorro de agua se la llevó por delante...

¡ZAS!

... y la arrastró pasillo abajo a toda velocidad.

Los demás sacaron la cabeza por la puerta para ver cómo se la llevaba la corriente.

—Por lo menos el suelo quedará limpio como una patena —se dijo Lucy.

·⁓✻⁓·

Capítulo 45

UNA CUCHARADITA

Por suerte, en el Royal Hospital no faltaban rincones perfectos para esconderse. Con la enfermera jefe fuera de combate, Retaco guio a Elsie, Lucy y Lanita hasta la despensa y cerró la puerta por dentro.

—Aquí siempre hace un frío que pela —dijo Retaco—. Seguro que tu amiga se sentirá como en casa.

Así era. Elsie también estaba muy a gusto, pues allí era donde guardaban toda la comida de los soldados retirados. Debían de tratarlos a cuerpo de rey, porque había botes gigantes de golosinas y frascos con toda clase de manjares, como mermelada, miel y melaza. Para una niña que había pasado toda su vida huyendo del hambre, el olor a comida era el más embriagador de los perfumes.

—Me muero de hambre —dijo Elsie—. ¿Puedo probar la mermelada, por favor?

Elsie miró a los adultos presentes con los ojos muy abiertos y haciendo pucheros. ¿Cómo decirle que no?

—No vendrá de una cucharadita, ¿verdad que no? —preguntó Lucy.

—No —asintió Retaco—. Nadie va a echar de menos una cucharadita.

—¿De fresa o frambuesa? —preguntó Lucy.

—Nunca he probado ninguna de las dos —contestó la niña—. ¿Cuál está más buena?

—La de frambuesa, creo yo.

—Pues no se hable más: ¡frambuesa!

Retaco alargó el brazo y cogió un bote de mermelada de frambuesa. Despacio, desenroscó la tapa mientras la niña se relamía. Sin embargo, antes de que Elsie pudiera hundir el dedo en el frasco, una enorme trompa peluda se acercó por detrás y sorbió toda la mermelada en un visto y no visto.

¡SHUUUP!

—¿Pero qué...? —exclamó Elsie.

—¡Marabú malo! —le regañó Lucy, apartando la trompa de Lanita de una palmada.

¡PLAF!

Pero el animal ni se inmutó. Era la primera vez que probaba la mermelada y estaba encantado de la vida.

—¿A lo mejor puedo probar la de fresa...? —sugirió Elsie.

Pero en cuanto Retaco desenroscó la tapa, la trompa del mamut apareció como salida de la nada y sorbió la mermelada hasta dejar el bote limpio.

¡SHUUUP!

—¡¿QUÉ?! —exclamó Elsie.

—¡MARABÚ MALO! —gritó Lucy.

—¡No tan alto! —susurró Retaco.

—¡Pero es que se está portando muy mal!

—Lo sé, pero conociendo a la enfermera jefe, seguro que ha sacado a toda la tropa de la cama y pondrá el hospital patas arriba con tal de encontrar a esa cosa.

—No es una cosa —replicó Elsie—. Es un mamut.

—¡Lo que sea!

¡CABOOOUM!

—¿Qué ha sido eso? —preguntó Elsie.

—¿Un trueno? —aventuró Lucy.

¡CABOOOUM!

—¡Ahí está otra vez! —exclamó la niña.

—¿Serán las cañerías? —se preguntó Retaco.

¡CABOOOUM!

—¡Sí que son las cañerías! —dijo Elsie—. ¡Pero las de Lanita! ¡Escuchad!

Todos aguzaron el oído.

¡CABOOOUM!

—Será la mermelada —apuntó Lucy—, que no le habrá sentado bien. No dejes que coma más.

—No lo haré —replicó la niña—, pero me estoy muriendo de hambre. Sujétale la trompa para que yo pueda comer un poquitín de melaza.

La melaza estaba en un gran tarro del tamaño de un cubo de fregar. Retaco no las tenía todas consigo, pero bajó el tarro y se lo tendió a la niña mientras Lucy trataba de taparla con su cuerpo para que no la viera Lanita, cuya trompa sujetaba con fuerza. Elsie destapó el tarro con manos temblorosas de emoción. En cuanto lo hizo, el aroma azucarado de la melaza subió hasta sus fosas nasales. Era tan maravilloso que por un instante tuvo la sensación de estar flotando. Hundió el dedo en la melaza, que era suave como la seda.

Justo cuando iba a llevarse el dedo a la boca para probarla, se vio empotrada contra las estanterías. Los frascos y tarros cayeron al suelo en medio de un gran estrépito.

¡CATAPLÁN!

¡CRAC!

¡SHUUUP!

El mamut se había precipitado hacia delante y, en menos que canta un gallo, había sorbido hasta la última gota de la dulce melaza. Lucy, que estaba sujetando la trompa del animal, se había estrellado contra Retaco, que a su vez se había empotrado contra Elsie. Ahora había una nube de azúcar, harina y té flotando en la habitación que hizo toser y resoplar a los tres humanos. En medio del caos, la trompa del mamut se encargó de sorber hasta el último vestigio de comida que había quedado en las paredes, el suelo, el techo o incluso flotando en el aire.

Cuanto más se esforzaban por evitar que Lanita devorara toda la comida que veía, más se empeñaba ella en devorarla.

¡CABOOOUM!
¡GLU, GLU, GLU!
¡PFFFZZZ!

—¡Oh, no! ¡Sus tripas vuelven a rugir! —dijo Lucy.

—Creo que se avecina una explosión —advirtió Retaco.

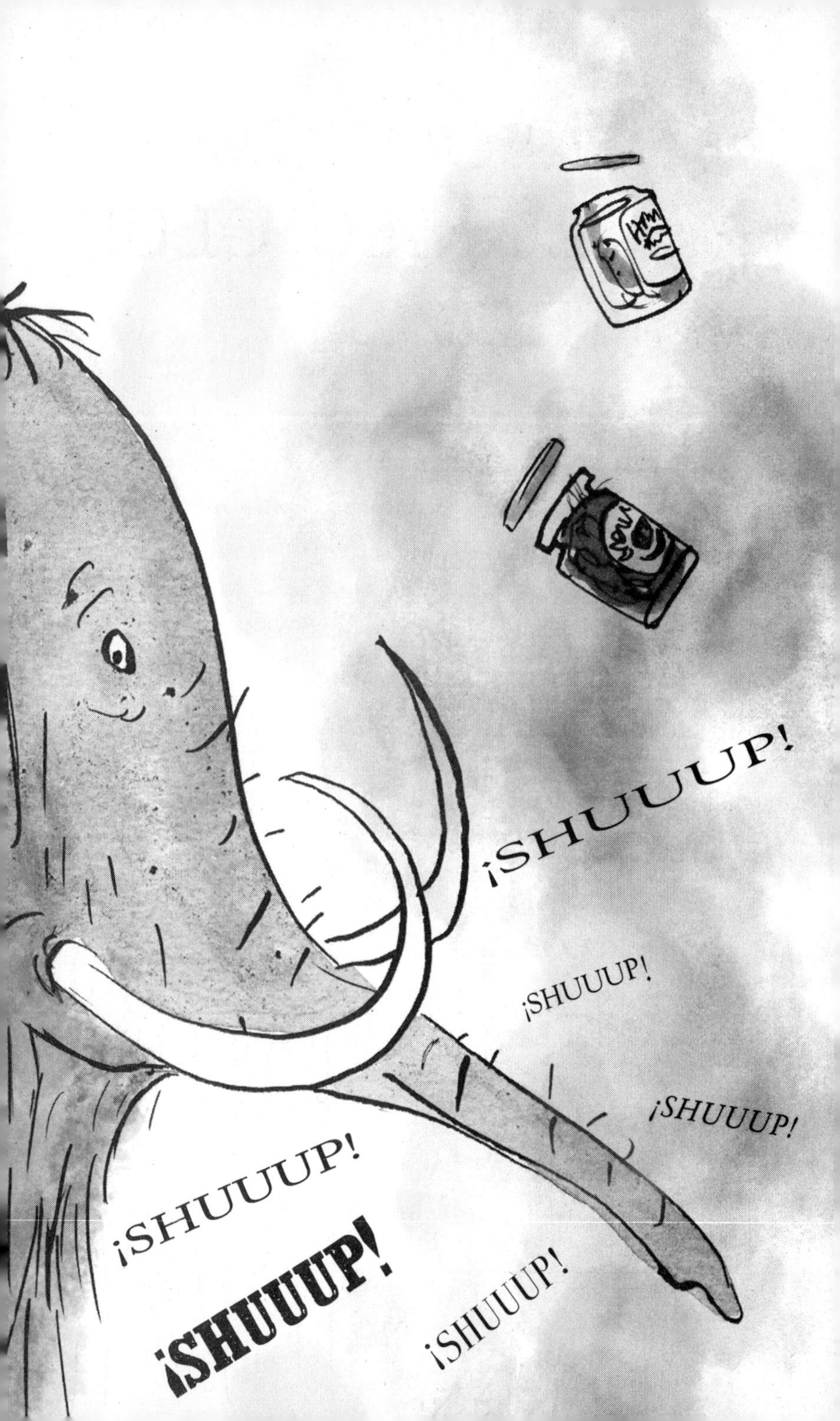
¡SHUUUP!
¡SHUUUP!
¡SHUUUP!
¡SHUUUP!
¡SHUUUP!
¡SHUUUP!

Capítulo 46

¡A CUBIERTO!

Elsie tragó saliva.

—¿No te referirás a su trasero, verdad? —preguntó.

—Sí, señorita, a eso me refiero —contestó Retaco.

De repente, alguien empezó a aporrear la puerta.

¡PAM, PAM, PAM!

—¡Policía militar! ¡Abrid ahora mismo! ¡Sabemos que estáis ahí dentro! —ordenó una voz al otro lado de la puerta.

—¡Chiiisss! —susurró Lucy—. ¡Punto en boca, todo el mundo!

—Hemos oído eso —dijo la voz.

—¡RECÓRCHOLIS! —exclamó Lucy.

—¡Eso también lo hemos oído!

—¡Mecachis!

—Y eso.

—¡Lucy, calla! —suplicó Elsie.

—Eso también lo hemos oído.

—¡Esta vez no he sido yo! —exclamó Lucy.

¡GLU, GLU, GLU! ¡CABOOOUM! ¡PFFFZZZ!

—Me temo que ya falta poco para la explosión —avisó Retaco—, ¡y será de traca!

¡PAM, PAM, PAM!

—¡Abrid ahora mismo!

—Tal vez no sea tan mala idea... —dijo Elsie con una sonrisa picarona.

—No pretenderás usar al animal como un cañón, ¿verdad? —preguntó el viejo soldado.

—¡Exacto! —replicó la niña—. Abrimos la puerta y... ¡a cubierto!

—¡Ya va, agente! —dijo Lucy a grito pelado mientras bordeaba al mamut con dificultad para alcanzar la puerta.

—¡DESE PRISA, SEÑORA, O NOS VEREMOS OBLIGADOS A TIRAR LA PUERTA ABAJO!

—¡La paciencia es la madre de la ciencia! —replicó la mujer.

¡BRLUP, BRLUP, BRLUP! ¡GRUNJJJFFF! ¡CROOONC!

—¡Tal como le rugen las tripas, yo diría que Lanita está a punto de estallar! —exclamó Elsie.

Lucy cogió la llave y empezó a girarla en la cerradura.

—¡Un momentito, agentes!

¡CLIC!, hizo la llave.

—¡La puerta está abierta! —gritó Lucy.

¡GROB, GROB, GROB!

¡TSUNG, TSUNG, TSUNG!

¡CABOOOOOOOUMZ!

El pomo giró desde fuera y la puerta se abrió despacio.

Nuestros tres protagonistas compartieron una mirada cómplice mientras el mamut arqueaba la espalda y levantaba la cola.

—¡FUEGO! —gritó Retaco.

Y Lanita obedeció.

¡GGGRRROOORRR!

El estruendo de la descarga que soltó era tal cual el rugido de un gran oso salvaje.

Los policías militares quedaron sepultados en caca de mamut caliente y pegajosa. La explosión fue tan poderosa que los tiró al suelo. Los pobres hombres no sabían ni dónde estaban, porque tenían los ojos y la nariz rebozados en caca de mamut.

—¡Larguémonos de aquí! —dijo Elsie.

—¡RETIRADA! —gritó Retaco.

Los tres humanos ayudaron al animal a salir de la despensa y enfilaron el pasillo.

—¡Tú cierras la marcha, Lucy! —ordenó el viejo soldado.

—¡Ni hablar! —replicó la mujer—. ¡No me fío un pelo de la retaguardia!

—¿Adónde vamos? —preguntó Elsie.

—¡Lejos de ese horrible olor! —contestó Retaco mientras corrían por el pasillo y subían la escalera que llevaba a los aposentos de los soldados.

Capítulo 47

UNA NUEVA CAMARADA

—¡Aquí es donde duermo yo! —anunció Retaco, abriendo la puerta del dormitorio colectivo.

—Tendríamos que haber empezado por esconder aquí a Lanita —murmuró Elsie.

—Creo que Retaco lo comparte con otras personas —apuntó Lucy.

—Bueno, estoy segura de que habríamos convencido a unos pocos soldados para que no se fueran de la lengua.

Cuando la puerta quedó abierta de par en par, vieron no a unos pocos soldados, sino exactamente a veinte veteranos del ejército, todos ellos asomando la cabeza desde sus respectivos reservados.

—¡Glups! —exclamó Elsie.

Despacio, Retaco hizo pasar al mamut tirando suavemente de un colmillo. Luego carraspeó y se aclaró la garganta.

—Buenos días, caballeros. ¡Caballeros! Si fueran tan amables de prestarme atención, me gustaría presentarles a una nueva camarada.

Los viejos soldados se pusieron las gafas, las piernas y brazos de madera, si los usaban, o bien se sentaron en sus sillas de ruedas. Despacio, se acercaron a la magnífica bestia.

—¿Qué diantres es eso, Retaco? —preguntó uno de ellos.

—¿Muerde, recluta? —quiso saber otro.

—¿Nos lo vamos a comer para desayunar? —terció otro, que llevaba una larga barba blanca y parecía un papá Noel con aire militar.

Elsie dio un paso al frente.

—No. Se llama Lanita y es un mamut.

—¡Santo cielo! ¡Una mujer en el Royal Hospital! —protestó un soldado.

—¡Dos! —añadió otro.

—¡El elefante peludo o cómo se llame esa cosa puede quedarse, pero ellas tienen que irse! —exclamó un tercer veterano.

—¡HIII! —barritó Lanita, como si la idea la indignara.

—¡Tres hembras en el Royal Hospital! —bramó otro viejo soldado—. ¡Esto es una vergüenza!

—¡Es peor que la guerra de los bóeres!

—¡Habrá que precintar el hospital!

—¡Es un escándalo de **PROPORCIONES ÉPICAS**!

Retaco levantó la voz para hacerse oír por encima del jaleo.

—¡Un poco de silencio, señores! Esperen hasta haber oído lo que la niña tiene que decir. Elsie...

La pequeña sonrió y se aclaró la garganta.

Ni que decir tiene que se los metió a todos en el bolsillo. Los viejos soldados habían oído historias de **gran valor y hazañas increíbles**, pero ninguna tan emocionante como la que les contó la pequeña.

Elsie concluyó con una súplica.

—¡Caballeros! ¿Ayudarán ustedes a Lanita?

—¡Contad conmigo! —dijo alguien.

—¡Y conmigo!

—Yo también me apunto.

—Y yo.

—¡Y yo!

Uno tras otro, todos los soldados se sumaron a la causa, hasta que solo quedó uno que no lo había hecho. Todos se volvieron hacia él.

—Perdón, ¿cuál era la pregunta? —dijo el anciano que se parecía a papá Noel.

—Es el teniente —dijo Retaco—. Se le olvidan las cosas. Nos lo tomaremos como un **SÍ**.

—¿A quién se le olvidan las cosas? —preguntó el teniente.

El mamut avanzó a trompicones hasta la ventana que había al fondo del largo dormitorio y miró hacia fuera. Elsie siguió a su amiga y vio cómo contemplaba los tejados de Londres. Lanita alzó la trompa y la presionó contra el cristal de la ventana, como si sintiera nostalgia de algo que estaba lejos, muy lejos. Elsie acarició la trompa del mamut y luego levantó una de sus grandes orejas peludas y le susurró al oído:

—¿Qué miras, amiga mía? Ojalá pudieras contármelo.

—¡HIII!

Capítulo 48

HACIA EL NORTE EN LÍNEA RECTA

Lucy fue a reunirse con las dos amigas.

—¿Crees que podríamos enseñar a Lanita a hablar?

—¿A hablar?

—Sí. Para que nos diga qué está mirando.

—¿Pero cómo vamos a enseñarle a hablar?

—Ya, esa es la parte complicada —repuso Lucy, pensativa—. A lo mejor podemos enseñarle a soltar un **HIII** para decir que sí, dos **HIIIS** para decir que no y tres **HIIIS** para quizá. ¿Qué te parece? Luego podemos ir nombrando todos los lugares del mundo, y a ver qué dice.

Elsie no quería ofender a su amiga.

—Es una gran idea, Lucy. Aunque puede que tardemos un ratito en nombrar todos los lugares del mundo.

Entonces la niña se dio media vuelta para dirigirse a los viejos soldados.

—¿Alguien tiene una brújula? —preguntó.

—¡Almirante, usted nunca se aparta de la suya! —dijo Retaco.

—¡Cierto, recluta! —confirmó el almirante, tanteándose los bolsillos del pijama—. Veamos, ¿dónde habré metido ese maldito cacharro?

—¡Lo lleva al cuello! —exclamó Retaco.

El almirante encontró la brújula colgada de una cadena.

—¡Pero si la llevo al cuello! ¿Por qué no me lo habías dicho?

El hombre cogió la brújula y se acercó cojeando a la niña.

¡CLONC, CLONC, CLONC!

Elsie se dio cuenta de que una de sus piernas era de madera.

—Antes de que me lo preguntes: la pierna me la arrancó un tiburón de un mordisco. El muy bribón me hizo un favor, porque la tenía gangrenada, se me había puesto verde. Así no tuvieron que cortármela con un serrucho. El tiburón murió envenenado, dicho sea de paso. Gajes del oficio.

El almirante tendió la brújula a Elsie.

—Aquí tiene, señorita. No nos han presentado. Yo soy el almirante, el único hombre de mar que encontrará por aquí.

—Lo echaron de la residencia de marineros jubilados por beber más de la cuenta —señaló Retaco.

—¡Esa noche solo había tomado siete botellas de ron, recluta! —bramó el almirante—. ¡Hacen falta por lo menos nueve para emborracharme!

El aliento a ron del almirante llegó hasta las fosas nasales de Elsie, y la niña se atragantó. El olor era tan fuerte que por un instante hasta ella se sintió borracha.

—Gracias, almirante —dijo Elsie, sosteniendo la brújula en la palma de la mano. La flecha negra señalaba la misma dirección en la que miraba el mamut.

—¡NORTE! —exclamó Elsie.

—**¡HIII!** —replicó el mamut.

—¿Lo ves? ¡Sí que sabe hablar! —exclamó Lucy—. Lanita lleva todo este tiempo pidiendo irse al norte.

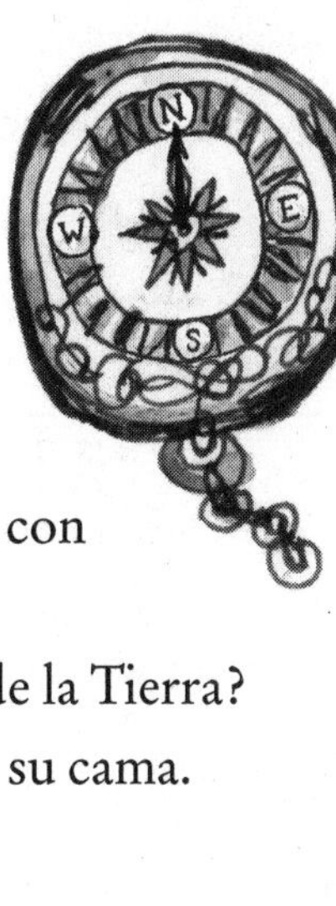

—**¡HIII!**

—Ahí lo tienes —constató Lucy.

—Dígame una cosa, almirante... —empezó Elsie.

—¿Sí, jovencita? —contestó el anciano con una sonrisa.

—¿Dónde está el punto más al norte de la Tierra?

El almirante acompañó a la niña hasta su cama.

—¡Aquí tienes mi globo terráqueo!

Junto a la cama había un magnífico globo con el mapa del mundo.

—Lo traje de mi barco.

—Antes de que se hundiera... —añadió Retaco.

—Ya está bien, recluta. Me encanta contemplar mi globo terráqueo. ¡Me trae recuerdos de mis tiempos de gloria y de todas las aventuras que viví en alta mar! Fíjate, jovencita, esto de aquí es Londres.

El anciano señaló un punto del globo.

—Pon el dedo aquí.

La niña obedeció.

—Ahora deslízalo hacia el norte en línea recta.

Mientras Elsie deslizaba el dedo hacia arriba, el almirante iba leyendo los lugares que dejaba atrás:

—Escocia, las islas Orcadas, Islandia, Groenlandia, el Ártico, el Polo Norte. No hay nada más al norte que eso.

—¡El Polo Norte! —exclamó Elsie—. ¿Allí hace frío?

Los soldados no pudieron evitar reír.

—Hace tanto frío, jovencita —empezó el almirante—, que el mar **siempre está congelado**. No hay tierra, solo una gran extensión de hielo. Vamos, que hace un frío glacial.

—¡GLACIAL! —exclamó la niña—. Perfecto para una criatura de la glaciación. ¡Ahí es donde tenemos que llevar a Lanita! ¡Al Polo Norte!

—¡HIII! —asintió el mamut.

Elsie abrió los brazos de par en par en un gesto triunfal y miró a su alrededor. Todos y cada uno de los viejos soldados la miraban boquiabiertos.

Capítulo 49

UN ROBO MUY ATREVIDO

—¿Pero cómo llegaríamos al Polo Norte? —preguntó Retaco.

—¡Navegando, soldado! —anunció el almirante—. He aquí una misión para la armada.

—Pero necesitará usted al ejército para que le dé apoyo terrestre, señor —replicó Retaco.

—Ahí te doy la razón, recluta. Esta es una tarea para las dos divisiones de las fuerzas armadas de Su Majestad. Una misión conjunta de la armada y, en menor medida, del ejército.

—¡Un momento, un momento! —los interrumpió Lucy.

—¿Qué ocurre, mujer? —preguntó el almirante con malos modos.

—¿No necesitaréis un barco?

Los soldados murmuraron entre sí.

—Bien visto.

—No es tan tonta como parece.

—Creo que se nos escapa algo.

—Sí —concedió el almirante—. Si vas a navegar, siempre es mejor tener un barco. De lo contrario, hay muchas posibilidades de que acabes empapado. Veamos, ¿de dónde podemos sacar uno?

Todos los ancianos se quedaron mudos, enfrascados en sus pensamientos, pero Elsie empezó a imaginar un robo tan atrevido que, a su lado, la **banda de los manilargos** parecería un grupo de monjitas.

—¡Yo sé dónde hay un barco que podéis birlar! —anunció.

Todos se volvieron para mirarla. Algunos de los ancianos se burlaron de ella en susurros.

—No es más que una niña.

—No sabe nada de barcos.

—Este té sabe a café. ¡Es café!

El almirante se acercó a la niña, repiqueteando en el suelo con su pata de palo.

¡CLONC, CLONC, CLONC!

—Dinos, jovencita, te lo ruego —empezó, dándose aires—, ¿dónde está ese barco del que hablas?

La niña consultó la brújula para ver dónde quedaba el este, y luego buscó una ventana orientada en esa dirección.

—¡Ahí fuera! —contestó Elsie muy segura de sí misma, señalando el río Támesis.

El anciano se acercó a la ventana tan deprisa como se lo permitía la pierna de madera.

¡CLONC, CLONC, CLONC!

Todos los veteranos lo siguieron. Se reunieron en torno al almirante, deseosos de ver qué señalaba la niña.

—¡Ahí está! —exclamó Elsie—. **PODÉIS ROBAR EL HMS *VICTORY*.**

•—✱—•

Capítulo 50

UNA RELIQUIA

El magnífico y antiguo velero se había convertido en una pieza de museo y, para celebrar la llegada del nuevo siglo, lo habían traído desde el puerto de Portsmouth y lo habían dejado amarrado en el Támesis.

—¿El HMS *Victory*? —preguntó el almirante, y se echó a reír a carcajadas—: ¡JA, JA, JA!

—¡JA, JA, JA! —rieron los hombres al unísono.

Elsie se enfadó tanto que se cruzó de brazos y les dedicó una mirada asesina.

—¿Dónde está la gracia? —preguntó.

—Mi querida niña —empezó el almirante—, el HMS *Victory* fue el buque insignia de lord Nelson en la batalla de Trafalgar, que se libró en 1805. ¡Tiene más de cien años! ¡Es una reliquia!

—¡Igual que usted! —replicó la niña—. Pero todavía sabe navegar, ¿verdad que sí?

El almirante puso mala cara, pero en su voz había un atisbo de respeto, no podía evitarlo.

—Eres de las que no se rinden, ¿verdad?

—Me lo han dicho más de una vez, sí.

—Mmm... bueno, sería un gran honor seguir los pasos de lord Nelson —musitó el almirante—. ¿Sabéis qué, soldados? ¡Esta jovencita tal vez no ande muy desencaminada!

Elsie sonrió de oreja a oreja, toda orgullosa.

—Con el debido respeto, señor —apuntó Retaco—, la policía militar ha quedado sepultada en caca de mamut, pero no tardará en seguirnos la pista. Necesitamos un plan cuanto antes.

—Cierto —dijo la niña—. ¡Escuchadme todos!

Los viejos soldados se quedaron atónitos. Nunca en sus largas vidas habían recibido órdenes de una niña, no digamos ya una pilluela harapienta como Elsie.

—Bueno, jovencita —empezó el almirante—, nos encantaría conocer tu plan.

Hubo murmullos entre los hombres.

—Sí, nos encantaría...

—Una chica con un plan, ¿qué será lo siguiente?

—¿Creéis que podremos bañarnos hoy?

—No tenemos mucho tiempo —dijo Elsie, alzando la voz—, así que, por favor, escuchad.

El almirante salió en su apoyo.

—Ya habéis oído lo que ha dicho la señorita, soldados. No hay tiempo que perder, así que dejad de parlotear y prestad atención.

—¡Exacto! —replicó Elsie—. Eso lo incluye a usted, almirante.

Hubo risitas sofocadas entre los hombres.

—¡JI, JI, JI!

Nadie le había hablado en ese tono al almirante en toda su vida, y la cara del hombre se puso tan roja como las chaquetas rojo escarlata de los pensionistas del Chelsea.

—¡Muy bien! —empezó la niña—. Vamos a necesitar dos divisiones. La PRIMERA bajará por el Támesis hasta el punto donde está amarrado el HMS *Victory* y lo robará. Luego lo traerá río abajo hasta el hospital. Estamos a tiro de piedra del Támesis. La SEGUNDA división deberá asaltar la despensa y reunir todas las provisiones posibles. ¿Almirante?

—¡Sí, señor! Quiero decir señora. Quiero decir señorita —farfulló el viejo lobo de mar.

—¿Cuánto tardaremos en llegar al Polo Norte?

El almirante se fue a la pata coja hasta su globo terráqueo...

¡CLONC, CLONC, CLONC!

... y trazó la ruta con el dedo.

—Bajaremos por el Támesis hasta el canal de la Mancha, subiremos por el mar del Norte, el mar de Noruega, el mar de Groenlandia hasta llegar al océano Ártico y, ¡listo calisto!, habremos llegado. No más de tres o cuatro semanas.

—¿Y si tengo que ir al lavabo? —preguntó Lucy.

—¡Pues lo hace usted por la borda, como cualquier marinero! —replicó el almirante—. ¡No hay otra forma!

—De hecho, el almirante sigue haciendo sus necesidades por la ventana —apuntó Retaco.

—¡Es refrescante!

—No para quien esté debajo de la ventana.

—Tres o cuatro semanas... —caviló Elsie—. Pues vamos a necesitar mucha comida, ¡sobre todo para esta de aquí! —añadió, acariciando a su prehistórica amiga.

—**¡HIII!** —barritó Lanita, dándole la razón.

—En el Polo Norte debe de hacer un frío que pela —observó Lucy.

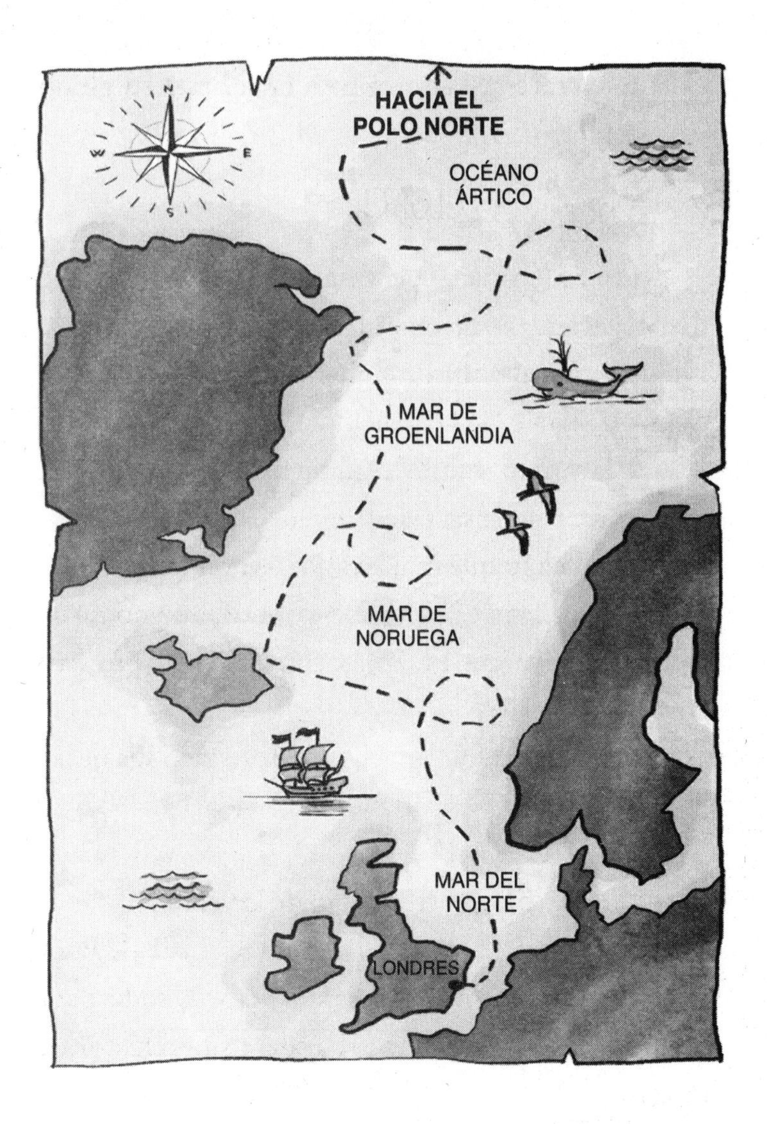

—¡Bien visto, Lucy! Eso quiere decir que necesitaremos toda la ropa de abrigo que podamos reunir.

El almirante levantó la mano.

—¿Sí, almirante? —preguntó Elsie.

—Por favor, ¿puedo estar al mando del barco? —preguntó dócilmente.

—Por supuesto que sí.

—¡Gracias, gracias, gracias! Yo, al mando del HMS *Victory*. ¡Es un sueño hecho realidad!

—Elija usted a diez hombres y vayan a buscar el *Victory*.

—A la orden —dijo el almirante—. Se trata de una misión peligrosa. Puede incluso que letal. Necesitamos a diez hombres buenos y leales.

Todos los veteranos sacaron pecho y miraron al frente con solemnidad. Se morían de ganas de estar entre los elegidos.

Capítulo 51

UNA SOLITARIA MEDALLA

El almirante seleccionó a su escuadrón de elite. Diez hombres se pusieron las chaquetas rojo escarlata y los pantalones negros por encima del pijama y, con el tintineo de fondo de sus medallas al chocar entre sí, se calaron las gorras. Elsie se fijó en que, a diferencia de los demás soldados, Retaco solo tenía una medalla en la chaqueta.

—¿Cómo es que Retaco solo tiene una medalla? —le preguntó a Lucy en susurros.

—¡Uy, ni se te ocurra sacar el tema! —contestó la mujer—. No lo lleva demasiado bien. Todos se meten con él a cuenta de eso.

—¡Formad filas! —ordenó el almirante.

Los viejos soldados obedecieron al instante. Puede que la edad y los achaques hubiesen hecho mella en ellos, pero seguían formando con el mismo orgullo del primer día. Entre todos habían luchado contra los rusos en la guerra de Crimea, librado combates a lo largo y ancho de la India y combatido a los guerreros zulúes en África. Y ahora se disponían a vivir la gran aventura de sus vidas.

El almirante se acercó al mamut y le hizo el saludo militar.

—No la defraudaremos, señorita mamut —prometió.

—¡**HIII!** —exclamó Lanita, levantando la trompa como si le devolviera el saludo.

—Vamos, soldados, ¡en marcha!

Encabezados por el almirante, los hombres salieron del dormitorio en perfecta formación.

—Yo tengo que quedarme aquí para cuidar de Lanita —dijo Elsie—. Retaco, reúne toda la comida a la que puedas echar el guante. Algo ha debido de dejar Lanita.

—¡HIII!

—Haré lo que pueda, Elsie —respondió el recluta.

—Gracias, Retaco. Ah, Lucy, coge todos los sombreros, guantes y abrigos que encuentres. Cárgalos en el barco y luego volved aquí los dos para recogernos.

—¡A la orden! —dijo Retaco.

Los viejos soldados cuchicheaban entre sí.

—No sé yo si es buena idea poner a Retaco al mando...

—¡No es más que un recluta!

—¡Solo tiene una medalla!

—¡Y se la dieron por antigüedad!

—¡No es ningún héroe!

—¡Los huevos del desayuno me están repitiendo!

Lucy puso una mano en el hombro de su amado para reconfortarlo.

—No les hagas caso.

—¡Os enseñaré de lo que soy capaz, muchachos! —dijo Retaco—. ¡Vamos, seguidme!

Y allá que se fue, seguido por Lucy y sus camaradas, dejando a Elsie sola con su lanuda amiga.

—Cierra la puerta por dentro —dijo Retaco antes de salir.

—¡Buena idea! —exclamó la niña.

—Llamaré dos veces. Así sabrás que puedes abrir sin temor.

—Entendido.

—¿Llamarás dos veces seguidas o espaciadas entre sí? —preguntó Lucy.

—¡Da lo mismo, mi amor! —replicó el soldado—. ¡Llamaré dos veces y punto! ¡PAM, PAM! Volveré para recogeros en cuanto estemos listos para zarpar.

Elsie corrió hasta la puerta y la cerró por dentro.

¡CLIC!

Luego cruzó la habitación de nuevo para reunirse con el mamut y se abrazó a él.

—No te preocupes, Lanita —dijo—. Te llevaremos de vuelta a casa.

—¡HIII! —barritó Lanita, como asintiendo.

Luego el animal bostezó, y Elsie no pudo evitar hacer lo mismo. Lanita se puso de rodillas, se tumbó de lado y soltó un largo y profundo suspiro.

—¡HIIIIII!

Elsie se acostó a su lado, con la espalda pegada al vientre del animal. El mamut la envolvió con la trompa en un estrecho abrazo. Aquello no tenía nada que ver con la fría bañera de hojalata en la que Elsie solía dormir. Las dos amigas cerraron los ojos a la vez.

—Buenas noches, Lanita.

—**Hiii**...

La niña y el mamut respiraban de forma acompasada, y no tardaron en quedarse dormidas, sin sospechar siquiera que alguien las espiaba a través de la ventana.

•—✻—•

Capítulo 52

COMO UN ELEFANTE EN UNA CACHARRERÍA

Al otro lado de la ventana apareció el extremo de una escalera de mano. Y en lo alto de la escalera aparecieron un par de ojillos redondos, una larga nariz y un diminuto bigote. Era el inspector Gruñido. Vio que Elsie y el mamut estaban dormidos y ordenó por señas a sus agentes que no hicieran ruido.

—¿QUÉ? —preguntó uno a grito pelado desde el suelo.

—¡Un dedo sobre los labios quiere decir «silencio»! —contestó en susurros.

—¡ENTENDIDO! —berreó el agente de policía.

—¡CHISSS!

—¡A LA ORDEN!

Mientras la nieve caía a su alrededor, el inspector Gruñido bajó los peldaños de la escalera y aterrizó con un crujir de botas en el suelo nevado.

¡CREC!

—¡Esta vez, no dejaremos que escapen!

¡PAM!

¡PAM!

El estruendo hizo que Elsie y Lanita se despertaran de un brinco. La niña estaba segura de haber oído a alguien llamar dos veces a la puerta, pero con mucha más fuerza de lo que habría esperado.

Quería llamar a Lucy para asegurarse de que era ella, pero tenía un nudo en la garganta a causa del miedo.

¡PAM!

Un solo golpe. Algo no iba bien. Mejor dicho, algo iba rematadamente mal. Elsie retrocedió y notó que Lanita la rodeaba con la trompa para protegerla.

—¡Hiii...! —gimoteó.

¡PAM!

Esta vez la puerta cedió.

¡PAM!

Las astillas salieron volando en todas las direcciones.

¡PAM!

¡CATAPUMBA!

Arrancada de las bisagras, la puerta se desplomó.

¡PLONC!

El inspector Gruñido apareció en el umbral, flanqueado por una docena de agentes que sujetaban un ariete.

—¿Vais a salir sin oponer resistencia? —preguntó a gritos.

—¡HIII! —rugió el mamut.

Su reacción dio fuerzas a Elsie.

—¡No! ¡Vamos a salir oponiendo mucha resistencia!

Dicho lo cual, se encaramó a lomos del animal y le dio una palmada en el costado.

—¡A LA CARGA! —gritó Elsie.

Lanita sabía exactamente qué hacer, y embistió a los agentes de policía.

—¡Formación de defensa! —ordenó el inspector.

Los policías entrelazaron los brazos y se miraron, muy nerviosos.

—¡Mantened la línea!

Los agentes se cogieron con mas fuerza.

—¡MANTENED LA LÍNEA!

El inspector Gruñido fue el primero en desobedecer su propia orden. Se separó de sus hombres y se apartó de un salto ante la embestida. Los agentes no tardaron en seguir su ejemplo, con lo que Lanita y Elsie pudieron escapar pasillo abajo.

—¡COBARDES! —vociferó el inspector—. ¡IDIOTAS!

Por supuesto, los policías eran de todo menos idiotas, como demostraba el hecho de que no quisieran morir aplastados por una criatura prehistórica.

Al ver ante sí un tramo de escaleras que bajaba, el mamut se detuvo en seco.

—¡NOOO! —gritó Elsie, que salió propulsada por los aires.

¡ F I U U U !

Aterrizó de un fuerte culazo en el primer escalón...

¡PUMBA!

... y luego resbaló escaleras abajo a toda velocidad.

¡PUMBA!

¡PUMBA!

¡PUMBA!

Lanita la observaba con interés, pensando que aquella debía de ser la mejor manera de bajar por las escaleras. Se sentó al borde del primer escalón y se impulsó hacia abajo.

¡PUMBA!

¡PUMBA!

¡PUMBA!

—¡HIII! ¡HIII! ¡HIII!

Los suyos eran CULAZOS espectaculares comparados con los de Elsie pero, a juzgar por los grititos que soltaba cada vez que bajaba un peldaño, se diría que se lo estaba pasando bomba.

Elsie y Lanita no tardaron en acabar despatarradas en el suelo.

Al ver a los agentes de policías, que justo entonces llegaban a lo alto de la escalera, Elsie tiró de Lanita por la trompa.

—¡HIII! —barritó el animal.

Vieron una puerta abierta y corrieron en esa dirección. Era un comedor inmenso y magnífico con lámparas de araña en el techo y paredes revestidas con paneles de madera. Todas las mesas estaban perfectamente puestas para el desayuno, y no quedó ni una en pie cuando el mamut irrumpió en la habitación como un elefante en una cacharrería.

—¡HIII!

¡CRAC!

¡CLONC!

¡CATAPLÁN!

El cocinero y sus ayudantes salieron de la cocina, atraídos por el jaleo.

—¿A QUÉ VIENE TODO ESTO? —preguntó el hombre.

En cuanto vieron que había un mamut arrasando el comedor, corrieron a esconderse en la cocina.

—¡PERDONEN LAS MOLESTIAS! ¡CUÁNTO LO SIENTO! ¡SIGAN, POR FAVOR!

En ese instante, los policías llegaron al comedor.

—¡ESE MONSTRUO ES PROPIEDAD DE SU MAJESTAD LA REINA! —gritó el inspector Gruñido—. ¡TENEMOS ÓRDENES DE DEVOLVÉRSELA! ¡VIVA O, PREFERIBLEMENTE, MUERTA!

Elsie saltó de inmediato a lomos de su amiga para que no pudieran dispararle, y juntas corrieron hacia las grandes puertas que había en el otro extremo de la habitación. Casi habían llegado cuando el portón se abrió de golpe. Ante sí tenían a la enfermera jefe y a un grupo de policías militares armados con fusiles y rebozados en caca de mamut.

—¡Os tenemos rodeados! —vociferó la enfermera jefe—. ¡Rendíos de una vez!

—¡JAMÁS! —gritó la niña.

Los policías militares empuñaron los fusiles. El mamut se levantó sobre las patas traseras y lanzó un rugido temible.

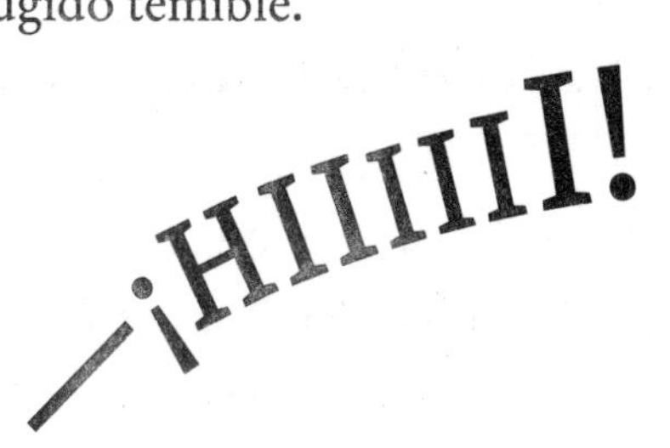

Elsie se golpeó la cabeza con una lámpara de araña y, sin pensárselo dos veces, se colgó de ella, tomó impulso y salió despedida hacia la puerta. La niña surcó el aire a toda velocidad y arrolló a la enfermera jefe y los policías militares como si fuera la bola en una partida de bolos...

¡CATAPLÁN!

... y ellos los bolos propiamente dichos.

—¡ARGH!

¡PUMBA!

¡PUMBA!

¡PUMBA!

Mientras caían como moscas a uno y otro lado, el mamut salió trotando como si tal cosa. Elsie se levantó de un salto y se subió a su espalda.

Capítulo 53

PELIGRO POR TODAS PARTES

El plan avanzaba a marchas forzadas. Elsie y Lanita no podían esperar que el HMS *Victory* las recogiera en el Royal Hospital. El peligro estaba por todas partes. No podían detenerse. Huyeron del edificio, dejando atrás las columnas y la estatua del venerado fundador del hospital, Carlos II, y cruzaron los jardines hasta llegar al Támesis. Había una capa de hielo sobre el río. ¿Aguantaría las dos toneladas que pesaba el mamut? Con la policía pisándoles los talones sobre la nieve y apuntándoles con los rifles, solo había una forma de averiguarlo.

¡BANG, BANG, BANG!

Se oyeron disparos. Los pájaros que estaban en los árboles huyeron en desbandada. Elsie agachó la cabeza y hundió las uñas en los flancos del animal para que galopara más deprisa.

—¡HIII!

Lanita corrió despavorida y, al llegar a la orilla del río, se tiró hacia abajo y se desplomó sobre el hielo.

¡CATAPUMBA!

Por suerte, el hielo no se resquebrajó, pero estaba resbaladizo. El mamut quedó despatarrado y empezó a girar como una peonza.

—¡HIII!

—¡NOOO! —chilló Elsie.

Habían cogido tal velocidad que no podían parar. Con las patas abiertas hacia fuera, como una estrella de mar, Lanita daba vueltas y más vueltas sobre el hielo.

¡ F I U U U !

El mamut se llevó por delante a unos pocos patinadores que salieron despedidos, girando sobre sí mismos como si formaran parte de un espectacular número de baile.

—¡ARGH! —gritaron.

—¡LO SIENTO! —se disculpó Elsie, aunque no sirviera de gran cosa. Ahora iban derechas hacia un pequeño bote a remos que había quedado atrapado en el hielo.

¡ F I U U U !

La niña cerró los ojos.

¡CATACRAC!

El bote quedó hecho trizas. Una lluvia de astillas cayó sobre el hielo. La fuerza del impacto hizo que Elsie saliera volando.

—¡NOOO!

Cuando por fin se detuvieron, estaban cada una en una orilla del río. Molida y magullada, la niña se levantó con paso tambaleante y miró al lado opuesto del río helado. La pobre Lanita lo estaba pasando mucho peor. Cada vez que lograba apoyarse sobre las cuatro patas, una de ellas resbalaba y volvía a quedar despatarrada sobre el hielo.

¡PLOF!

—¡HIII!

Elsie cruzó el río patinando con los pies descalzos para ayudar a su amiga. Cada vez que una de las patas de Lanita empezaba a resbalar hacia fuera, corría a empujarla en la dirección contraria con todas sus fuerzas. Pero su cuerpecillo poco podía hacer frente a la gran mole del mamut, y acababan resbalando otra vez.

¡PLOF!

—¡HIII!

Finalmente, Elsie tuvo la brillante idea de patinar alrededor del mamut empujando cada pierna hacia dentro para asegurarse de que quedaban todas rectas. A lo lejos, veía a los policías llegando a la orilla del río.

—¡Vamos! —ordenó, pero no habían dado un paso cuando Lanita volvió a desplomarse sobre el vientre.

¡CATAPUMBA!

Elsie contempló la superficie helada del Támesis. Había tablones de madera esparcidos sobre el hielo, los restos del bote contra el que se habían estrellado. Eran largos y delgados, y se parecían un poco a unas cosas que la niña había visto que los ricos se ataban los zapatos para bajar a toda velocidad por la pendiente nevada de Primrose Hill el invierno anterior.

¡Esquís!

Elsie fue hacia allí lo más deprisa que pudo. Cogió dos tablones y un trozo de cuerda que debía haber quedado en el bote y luego volvió patinando hasta su amiga. Alineó los tablones en el suelo delante del mamut y fue a colocarse a espaldas de Lanita para animarla a levantarse empujando su trasero.

—¡HIII!

Aunque estaba agotada, Lanita no tardó en captar la idea y se subió a los improvisados esquís.

A lo lejos, el inspector Gruñido y sus hombres bajaban a la superficie helada del río, seguidos de cerca por la enfermera jefe y la policía militar. Tan deprisa como pudo, Elsie cogió la cuerda y la sostuvo delante de la boca del mamut. Lanita la sujetó entre los dientes.

—Chica lista —murmuró Elsie.

—¡HIII!

Elsie tiró de la cuerda con todas sus fuerzas.

El mamut avanzó unos centímetros.

¡Cáspita!

Aquello no iba a funcionar.

¡Recórcholis!

Elsie volvió a intentarlo, y esta vez dio un buen tirón a la cuerda, con lo que consiguió coger impulso. Pronto estaba pasando algo que parecía imposible:

¡Un mamut de carne y hueso esquiando sobre las aguas heladas del río Támesis!

¡ZAS, ZAS, ZAS!, hacían los esquís sobre el hielo.

—¡HIII! —barritaba Lanita de alegría, disfrutando de la sensación de velocidad, con su suave pelo meciéndose en la brisa helada.

Pasaron por delante de un hombre que estaba asando castañas en la ribera cubierta de nieve.

—¡Bonita mañana! —dijo Elsie al pasar de largo.

¡Ni los huérfanos de VILLA LOMBRICES se lo creerían! El hombre se los quedó mirando, pasmado, mientras el animal prehistórico soltaba otro entusiasta...

—¡HIIIIIIIIIIIIII!

·—✱—·

Capítulo 54

EL HMS *VICTORY*

Allá a lo lejos, asomando entre la niebla como un barco fantasma, estaba el HMS *Victory*.

Con sus tres mástiles elevándose orgullosos hacia el cielo.

Con su imponente castillo de popa, que tenía decenas de ventanas.

Con el magnífico escudo de armas del mascarón de proa.

En la base del casco, la palabra V I C T O R Y aparecía escrita en grandes letras. Elsie no sabía leer, pero no le hacía falta para entender lo que ponía. El HMS *Victory* era el navío más famoso de todo el reino, y puede incluso que del mundo entero.

Mientras Lanita y ella se acercaban a toda velocidad sobre los esquís, Elsie vio al almirante y sus hombres izando la vela mayor. Poco después, distinguió a Lucy, Retaco y su equipo subiendo cajas de víveres a bordo. La niña no pudo evitar sonreír. Iban a salirse con la suya.

¡RATATÁ, RATATÁ, RATATÁ!

¡Una ametralladora disparaba desde el cielo! ¡Los estaban atacando por aire!

Las ráfagas de disparos cayeron sobre el hielo y estuvieron en un tris de alcanzar a las dos amigas.

Con el susto, Elsie tropezó, y como Lanita iba siguiendo sus pasos, perdieron el equilibrio y se desplomaron las dos.

¡PLAF! ¡PLOF!

—¡AY! —gritó la niña de dolor.

—**¡HIII!** —chilló el mamut.

Elsie miró hacia arriba. Entre la niebla, vislumbró algo del tamaño de una ballena azul flotando en el cielo. Era tan grande que tapaba el sol.

Era un zepelín,* una de las sofisticadas y modernísimas aeronaves de los alemanes.

En la góndola, una mujer con un inconfundible salacot en la cabeza y una mirada asesina en los ojos iba a los mandos de la ametralladora.

Era lady Perdigón, la cazadora de grandes mamíferos. Sus pestilentes puros se olían a varios kilómetros a la redonda.

¡RATATÁ, RATATÁ, RATATÁ!

Otra ráfaga de disparos cayó sobre las dos amigas, acribillando el hielo y llenándolo de agujeros.

¡ZIS, ZAS, ZIS!

El agua helada del río subió a la superficie. Elsie, que seguía estando tumbada boca abajo en el hielo, notó cómo se le colaba por el cuello y las mangas. Miró hacia su amiga.

* Otra cosa que ha tomado el nombre de su inventor, el conde Ferdinand von Zeppelin. Un zepelín o dirigible consistía en un inmenso globo lleno de hidrógeno y una «góndola» que colgaba de éste y en la que viajaba la tripulación.

Lanita se estaba hundiendo. A toda velocidad.

—¡HIII!

¡RATATÁ, RATATÁ, RATATÁ!

Más disparos. Más agujeros. Más grietas. Más agua. Más peligro.

—¡HIII! —chilló el animal, aterrado.

Elsie cogió la trompa de su amiga.

—Tranquila, Lanita. Te sacaré de esta, te lo prometo.

¡RATATÁ, RATATÁ, RATATÁ!

—¡¿HIIIIII?!

La capa de hielo que las sostenía estalló en mil pedazos.

¡CATACRAC!

Nuestras dos heroínas cayeron al agua helada.

—¡NOOOOOO! —chilló la niña mientras se hundía en las profundidades del río.

•⁓✱⁓•

Capítulo 55

NEGRO

La oscuridad lo engulló todo.

Elsie no veía más color que el negro.

No oía sino un silencio atronador.

No sentía sino un escalofrío mortal.

Al principio no sabía ni si estaba mirando hacia arriba o hacia abajo.

¿Dónde estaba Lanita?

En medio del caos y la confusión, se había separado de su amiga prehistórica, a la que no veía ni oía. La impetuosa corriente del Támesis la había arrastrado al instante, alejándola del agujero por el que había caído. Por más que intentara nadar contracorriente, era en vano. El río se la llevaba cada vez más lejos. Desesperada, aporreó el hielo para intentar salir a la superficie.

¡PAM, PAM, PAM!

¡PAM, PAM, PAM!

La capa de hielo tenía varios centímetros de grosor. Sus diminutos puños no podrían romperla. No le harían ni un rasguño. Elsie abrió la boca y soltó un grito, pero nadie podía oírla debajo del agua.

Justo cuando sentía que la vida abandonaba su cuerpo y que se hundía cada vez más en una sepultura líquida, notó un impulso desde abajo. Algo la estaba empujando hacia arriba. ¡Era Lanita! La niña estaba apoyada entre los ojos del mamut cuando sus afilados colmillos rompieron el hielo y salieron a la superficie.

¡CATACRAC!

Elsie aspiró una bocanada de aire.

—¡AAAHHH!

—¡¿HIIIIII?!

La niña estaba calada hasta los huesos y al borde de la congelación, pero viva. Por los pelos, eso sí. Elsie se bajó del hocico del mamut y cayó al hielo con un golpe seco.

¡CLONC!

Aunque estaba temblando de pies a cabeza y había tragado mucha agua del Támesis, que no estaba muy limpia que digamos, la pequeña solo podía pensar en su amiga.

—¡LANITA! —farfulló.

—¡HIII!

La cabeza del mamut apenas asomaba por el agujero en el hielo, y le costaba respirar. Elsie se aferró con todas sus fuerzas a la trompa del animal para que no se hundiera en el agua helada.

—¡AGUANTA, LANITA, POR FAVOR! —gritó.

La niña sabía que no podría sacar del río a una criatura de dos toneladas ella sola, pero eso no le impidió intentarlo.

—¡VAMOS!

Y otra vez.

—¡VAMOS!

Y otra vez.

—¡VAMOS!

—¡HIII!

Ni agotando todas sus energías podría salvar la vida de su amiga. Pero no habían llegado tan lejos para rendirse. ¡Tenía que haber un modo de salvarla!

—¡SOCORRO! —gritó Elsie.

Su voz resonó a través del hielo.

A lo lejos, vio a un puñado de pensionistas del Chelsea con sus características gorras y chaquetas rojas avanzando en su dirección. ¡Iban a rescatarlas!

Retaco abría la marcha.

Los soldados sujetaban una gruesa cuerda que serpenteaba sobre el hielo y los mantenía unidos al barco.

En el cielo, el zepelín describía círculos, preparándose para volver a atacar.

—¡MUERE, MONSTRUO, MUERE! —chilló lady Perdigón.

¡RATATÁ, RATATÁ, RATATÁ!

La ametralladora disparó una ráfaga y otra lluvia de balas cayó sobre el cauce del río, lanzando esquirlas de hielo en todas direcciones.

¡CATACRAC!

Despacio, el zepelín empezó a girar para volver a la carga.

—¡TÍRAME LA CUERDA! —gritó Elsie.

El mamut no tardaría en hundirse. Ahora solo las puntas de los colmillos flotaban sobre el agua helada. Elsie anudó con fuerza el extremo de la cuerda a uno de los colmillos.

—¡TIRAD! —ordenó.

Los viejos soldados cogieron la cuerda y tiraron con todas sus fuerzas, pero todo lo que consiguieron fue sacar la cabeza de Lanita del agua.

El animal resopló, tratando de recuperar el aliento, y soltó un ensordecedor...

—¡HIII!

A bordo el HMS *Victory* todos arrimaron el hombro y cogieron el otro extremo de la cuerda.

—A la de tres —ordenó el almirante—. Uno, dos, tres, ¡tirad!

Con un último esfuerzo colectivo, lograron sacar al mamut del agua helada. Lanita se desplomó sobre el hielo con gran estruendo.

¡PATACHOF!

—¡**HIII!** —gimoteó.

—¡VIVA! —gritó Elsie. A espaldas de Lanita, vio que dos grupos de policías y militares intentaban cercarlos. —¡IZAD VELAS! —ordenó.

—¡Perdone usted, señorita! —replicó el almirante—. ¡Pero en este barco mando yo!

—¡De acuerdo! ¡Dígalo usted!

—¡IZAD VELAS!

Mientras las imponentes velas del HMS *Victory* se desplegaban por primera vez desde hacía muchos años...

¡ZAS, ZAS, ZAS!
¡ZAS, ZAS, ZAS!
¡ZAS, ZAS, ZAS!

... la partida de rescate ayudaba al mamut a levantarse.

—¡VAMOS, VAMOS, VAMOS! —gritó Elsie, que avanzaba sobre el hielo liderando la marcha sin soltar a su amiga lanuda para que no resbalara.

En el cielo, el zepelín planeaba en círculos, preparándose para un nuevo ataque.

Lady Perdigón tenía la mira puesta en el mamut una vez más.

—¡AAAY! —gritó Retaco, llevándose las manos al estómago y cayendo de rodillas.

•⁓*⁓•

Capítulo 56

UN ATAQUE DE FLATO

—¡NOOO! —chilló Lucy desde la popa del HMS *Victory*—. ¡RETACO!

—¡Retaco, no! ¿Estás herido? —preguntó Elsie.

—No. Es solo flato —contestó el hombre. Luego, en su tono más heroico, anunció—: Creo que no voy a salir de esta. Seguid sin mí. Dejad que muera en el hielo.

—¿Morir? ¡Retaco! ¡Si es un simple flato!

—Pero es que me ha dado muy fuerte. ¿Me prometes algo, jovencita?

—¿El qué, Retaco?

—Dile a Lucy que... **LA AMO**. ¡Argh!

El hombre volvió a llevarse las manos al estómago.

Elsie negó con la cabeza. Puede que fuera la benjamina del grupo, pero a veces se sentía más adulta que los adultos.

—¡Díselo tú, Retaco! —replicó la niña, cogiéndolo del brazo.

—¿Qué le ha pasado a mi amorcito? —preguntó Lucy desde el barco.

—¡Un ataque de flato! —respondió Elsie. Luego se volvió hacia el recluta—. Déjate de tonterías, Retaco. Con o sin flato, todos subiremos a bordo de ese barco.

—Haré lo que pueda, señorita.

El viento hinchó las velas y el casco del barco empezó a resquebrajar el hielo.

¡CREC!

Desde el HMS *Victory* bajaron una enorme rampa que aterrizó sobre el hielo con un ¡PLOF!

—¡PRIMERO LANITA! —gritó Elsie mientras ordenaba a los pensionistas que se pusieran detrás del animal y le empujaran el trasero para conseguir que subiera.

El barco se mecía en el agua helada y la rampa se bamboleaba de aquí para allá.

—¡HIII! —barritó el mamut.

—¡Ya casi estamos, amiguita! —le aseguró Elsie, reuniendo toda su energía para subir a Lanita a bordo con un último empujón.

¡PATAPLOF!

La cubierta de madera se estremeció un poco bajo el peso del mamut.

—¡HIII!

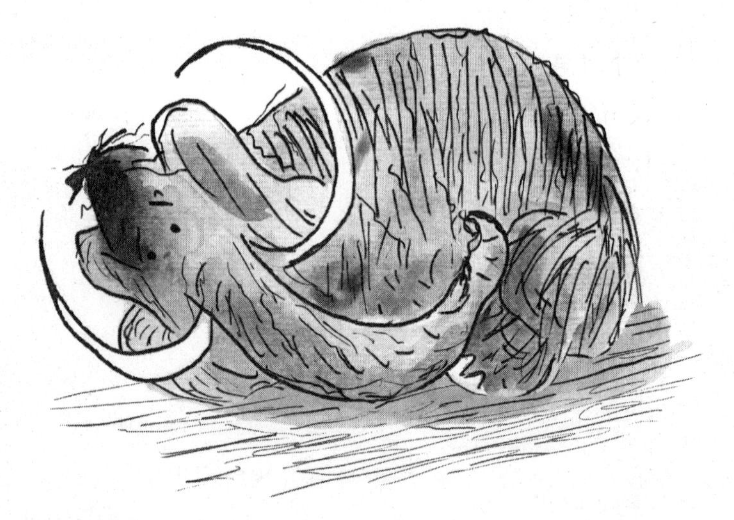

—¡VIVA! —gritaron todos a bordo, exultantes al ver que su inmensa y peluda amiga lo había conseguido.

Por encima del HMS *Victory*, el zepelín volaba ahora a escasa altura.

—¡YA TE TENGO, **MONSTRUO DE LAS NIEVES**! —gritó lady Perdigón desde la góndola.

¡RATATÁ, RATATÁ, RATATÁ!

Todos los soldados se tiraron al suelo mientras una lluvia de balas caía sobre el HMS *Victory*.

¡ZIS, ZAS, ZIS!

—¡ME HAN DADO! —chilló el almirante.

Lucy fue corriendo hacia él.

—¿Dónde?

—¡EN LA PIERNA!

—¿Cuál de ellas?

—La de madera.

En efecto, había una bala incrustada en su pata de palo.

—¿Está sangrando? —preguntó Lucy.

—Sí, mucho.

—¡Yo no veo ni gota de sangre!

—No, solo hay serrín.

—¿Le duele?

—No, en absoluto. ¡Pero no pienso dejar que esa maldita mujer se salga con la suya!

• ⁓✱⁓ •

Capítulo 57

LA HORA DE LA VENGANZA

Con todas las velas desplegadas, el HMS *Victory* empezó a abrirse paso entre el hielo.

Empapada y destemplada, Elsie se asomó a la popa del barco para ver quién seguía tras ellos. A lo lejos, creyó distinguir algo parecido a una vela deslizándose a gran velocidad sobre el cauce helado del río y adelantando a los policías. Según iba ganando terreno, vio que era una vela multicolor. De hecho, era el globo que Lucy y ella habían hecho con mil pañuelos (y un par de pololos).

—¿Qué demonios...? —murmuró.

Solo cuando lo tuvo cerca vio... ¡que el profesor iba debajo! Había acoplado el globo a su silla de ruedas y usaba la fuerza del viento para deslizarse sobre el hielo.

—¡UN GRAN HOMBRE NUNCA SE RINDE! —gritó.

Con una mano gobernaba el dirigible y con la otra empuñaba la pistola de dardos.

—¡VENGO A RECUPERAR A MI MAMUT! ¡HA LLEGADO LA HORA DE LA VENGANZA!

—¡Oh, no! —exclamó Lucy—. ¡Esto no se acaba nunca! —Y añadió, dirigiéndose al almirante—: ¡Más deprisa, más deprisa!

—¡La culpa es del hielo! —replicó el hombre—. ¡Es tan grueso que no podemos avanzar más deprisa!

—¡MIRE! —gritó Lucy, señalando al profesor.

—A lo mejor podemos matar dos pájaros de un tiro —caviló el almirante.

El hombre cambió el rumbo y el barco fue derecho al recién construido puente de las dos Torres.

Elsie se dio cuenta de que Londres se había despertado y de que mucha gente empezaba a apiñarse a orillas del Támesis. ¡Cuál no sería su sorpresa cuando los londinenses rompieron a aplaudir y lanzar vivas a su paso! Estaban encantados de ver que la magnífica bestia, el mamut, había vuelto a la vida y se paseaba por el Támesis nada menos que a bordo del viejo buque de guerra de Nelson.

—¡VIVA!

Pero había un gran problema. Los mástiles del HMS *Victory* eran demasiado altos para pasar por debajo del puente.

—¡No vamos a poder pasar, mi almirante! —gritó Retaco desde la proa.

—¡Hay que abrir el puente! —replicó el hombre.

Entonces Elsie se fijó en un puñado de críos que merodeaban por el puente, y reconoció las inconfundibles siluetas de la **banda de los manilargos**.

—¡ELSIE! —exclamaron al verla.

—¡ABRID EL PUENTE! —pidió la niña a gritos—. ¡ARRIBA, ARRIBA!

Al instante, la banda de pilluelos empezó a escalar el puente para acceder a la sala de mandos.

Mientras tanto, el zepelín seguía al barco de cerca y estaba ganando terreno.

¡CHIQUICHAQUE,
CHIQUICHAQUE,
CHIQUICHAQUE!

Otro que iba ganando terreno era el profesor, que disparó un dardo envenenado.

¡BANG!

El dardo quedó incrustado en el salacot de lady Perdigón.

—¡MIRA ADONDE DISPARAS, MAJADERO, O TE HARÉ VOLAR POR LOS AIRES! —gritó la mujer.

—¡PUES APARTA ESE RIDÍCULO ARTILUGIO DE MI CAMINO!

El profesor volvió a disparar. Esta vez, el dardo se clavó en la inmensa cámara rellena de gas del zepelín.

¡PPPFFFT!

Se oyó una estruendosa pedorreta cuando el dirigible empezó a perder aire.

Furiosa, lady Perdigón apuntó con la ametralladora al profesor.

¡RATATÁ, RATATÁ, RATATÁ!

¡RATATÁ, RATATÁ, RATATÁ!

—¡¡¡NO ME HAS DADO!!! —se burló el profesor.

—¡MIRA HACIA ABAJO, VIEJO MENDRUGO!

El profesor lo hizo y comprobó que no quedaba ni rastro de su silla de ruedas. Se deslizaba por el hielo sobre su propio trasero.

Con tanto jaleo, ninguno de los dos se dio cuenta de que el puente de las dos Torres se estaba abriendo.

El bauprés del HMS *Victory* apenas rozó uno de los lados del puente al pasar.

¡RAS!

—¡¡¡VIVA!!! —exclamaron los soldados que iban a bordo del barco cuando pasaron por debajo del magnífico puente.

—¡HIII! —barritó Lanita, uniéndose a la celebración.

Cuando el almirante miró hacia atrás, vio no solo a lady Perdigón planeando a escasa distancia del barco en el zepelín agujereado, sino también al profesor, que avanzaba rozando el hielo y estaba muy cerca de la popa.

—Diles a esos granujas que bajen el puente. ¡Rapidito! —ordenó el almirante.

—¡ABAJO, ABAJO! —gritó la niña a sus amigos.

El puente empezó a cerrarse justo a tiempo.

La ametralladora soltó otra descarga contra el casco del *Victory*.

¡RATATÁ, RATATÁ, RATATÁ!

Debajo del zepelín, lady Perdigón ordenó al piloto que subiera.

—¡ARRIBA, ARRIBA! —gritó.

—¡Cáspita! —dijo el almirante—. ¡No va a caer en la trampa!

Había un cable de amarre colgando del dirigible, y Lanita cogió la punta con la trompa.

—¡HIII!

—¡¿LANITA?! —exclamó Elsie, maravillada. Pero qué mamut más listo.

Mientras los motores del zepelín rugían, el mamut empleó todas sus fuerzas en tirar del aparato hacia abajo.

—¡AYUDADLA! —gritó Elsie, y los viejos soldados corrieron a sujetar a Lanita para impedir que saliera volando.

—¡NOOO! —chilló lady Perdigón cuando el zepelín se estrelló contra el puente.

La cámara de gas del dirigible reventó con gran estruendo.

¡BUUUM!

—¡AAAY! —gritó la cazadora mientras su góndola caía en picado sobre el profesor, hundiéndolos a ambos en las heladas aguas del Támesis.

¡GURGLE, GURGLE, GURGLE!

¡GURGLE, GURGLE, GURGLE!

¡PLOP, PLOP, PLOP!

¡PLOP, PLOP, PLOP!

¡GLU, GLU, GLU!

—¡¡¡VIVA!!! —exclamaron al unísono a bordo del *Victory*.

—¡HIII! —barritó Lanita.

La **banda de los manilargos** al completo se despidió de Elsie desde el puente.

—¡SUERTE! —gritaron todos los pequeños a la vez.

—¡GRACIAS! —contestó la niña—. ¡VAMOS A NECESITARLA!

Entonces el almirante se dirigió a toda la tripulación:

—¡Y ahora, soldados, vamos a poner rumbo al Polo Norte!

SEGUNDA PARTE

EN ALTA MAR

Capítulo 58

ROMPIENDO EL HIELO

—¿Por dónde queda el Polo Norte, señor? —preguntó Retaco.

—¡Todo recto, soldado! —ordenó el almirante, apuntando río bajo—. ¡Y a la izquierda cuando salgamos al canal!

Si la llegada del mamut a la ciudad había causado un gran revuelo, su partida sería todavía más sonada. La noticia había corrido como la pólvora, y se diría que todos los londinenses habían acudido a las riberas del Támesis, ansiosos por formar parte de la grandiosa aventura que estaba a punto de empezar. El almirante los saludaba, todo orgulloso, y la multitud vitoreaba a la tripulación con entusiasmo.

—¡¡¡VIVA!!!

—¡HIII! —barritaba Lanita, moviendo la trompa como si saludara.

Cada vez que eso pasaba, la muchedumbre enloquecía.

—¡¡¡VIVA!!!

Era una escena feliz, y llenó de alegría a todos los que iban a bordo del *Victory*.

Retaco se acercó sigilosamente a Lucy.

—Un poco más y no lo cuento... —dijo él.

—¿Qué ha pasado, amor mío? ¡Creía que te habían dado! —exclamó Lucy.

—Ha sido mucho, mucho peor que eso: un ataque de flato.

—¿De flato?

—Sí. Un ataque de flato puede llegar a ser mortal.

—Vaya, no lo sabía —dijo la mujer—. Te daré un besito para que se te pase. ¿Dónde te duele?

El viejo soldado señaló sus propios labios.

—Aquí.

Se besaron. Fue el beso más breve y tierno de la historia de los besos, pero llevaban tanto tiempo esperando ese instante que para ellos fue como una explosión de fuegos artificiales, y ambos estaban un poco mareados cuando se separaron.

—Creo que necesito sentarme —dijo Lucy.

—Pues yo creo que necesito acostarme —replicó Retaco.

—¡No es momento de besuqueos, marineros! —bramó el almirante—. ¡Tenemos un barco que pilotar!

Siguiendo sus órdenes, los hombres se pusieron manos a la obra. El HMS *Victory* no tardó en coger velocidad, y pronto surcaba el agua a toda prisa, rompiendo el hielo a su paso. Mientras dejaban atrás el este de Londres y se acercaban al mar, la capa de hielo se iba haciendo cada vez más fina. El *Victory* navegó viento en popa, a toda vela, hasta que llegó al estuario del Támesis y salió a mar abierto.

—¡¡¡HURRA!!! —gritaron los viejos soldados.

—**¡HIII!** —barritó Lanita.

—¡Todo a babor! —ordenó el almirante. En la jerga náutica, eso quería decir que debían girar a la izquierda.

Ahora las olas embestían el barco, haciendo que se balanceara de aquí para allá. El mamut se había instalado en la proa como si fuera el nuevo mascarón. Su trompa colgaba hacia abajo y tapaba el mascarón de verdad, que era el escudo de armas real con una corona encima y un querubín a cada lado.

Elsie se acercó a su amiga.

—¿Mirando al norte otra vez? —preguntó. La niña contempló el mar infinito. El Polo Norte quedaba a miles de kilómetros de distancia—. Te llevaremos a casa, Lanita. Te lo prometo.

Elsie acarició una de las grandes orejas peludas del mamut, que se arrimó a ella como si quisiera darle las gracias.

—¡HIII! —barritó flojito.

Capítulo 59

UN CIELO CUAJADO DE ESTRELLAS

Los días se sucedían a bordo del HMS *Victory*, que bordeó Escocia y se adentró en el solitario, profundo y oscuro mar del Norte.

Las semanas fueron pasando. Mientras el barco navegaba rumbo al norte, el mar se iba volviendo cada vez más bravo. Olas tan altas como árboles se estrellaban contra el *Victory*.

¡PLAF!

¡CHOF!

¡SPLASH!

Todos tenían que arrimar el hombro para impedir que el barco se hundiera, hasta Lanita. El mamut sorbía con la trompa el agua que se acumulaba en la cubierta y la echaba por la borda, devolviéndola así al mar.

Una noche más cayó sobre el *Victory*, que por fin había entrado en aguas más tranquilas. Los viejos soldados trabajaban por turnos y dormían en literas bajo cubierta. Lanita era demasiado grande para bajar, así que cuando llegaba la hora de acostarse, Elsie se quedaba con ella. Como habían hecho en el hospital, las dos amigas dormían acurrucadas entre sí.

—Buenas noches, Lanita —decía Elsie.

—¡HIII! —contestaba el mamut, lo que traducido al lenguaje mamutiano significa «Buenas noches, Elsie».

La niña se pegaba al suave pelo del vientre de Lanita. Entonces, El mamut recogía las patas traseras para proteger a su amiga del frío. No había cama más mullida, calentita y cómoda en todo el mundo, y por la noche, cuando estaban juntas, Elsie se sentía como en casa. Al mirar hacia arriba, veía un cielo cuajado de estrellas que relucían como diamantes.

Qué perfecto era todo.

No podía durar.

Y no lo hizo.

Capítulo 60

¡BARCO A LA VISTA!

—¡BARCO A LA VISTA! —gritó un marinero al alba desde la cofa del *Victory*.

Los viejos soldados subieron a trompicones a la cubierta del barco, donde se apretujaron, ansiosos por ver con sus propios ojos lo que su camarada había avistado desde lo alto del mástil. El ruido de pasos también había despertado a Elsie y Lanita, que se unieron a los veteranos. El almirante sacó el catalejo.

Una flota de fragatas a vapor se recortaba sobre la línea del horizonte.

—¿Cuántas hay, almirante? —preguntó Retaco.

—Una docena, creo.

—¿Podremos despistarlos? —preguntó Elsie.

—¡Podemos intentarlo, maldita sea! —contestó el almirante.

—¡VIVA! —exclamaron los hombres.

—¡HIII! —se les unió Lanita.

El almirante impartió una serie de órdenes destinadas a aumentar la velocidad del viejo barco. Al poco, el HMS *Victory* surcaba el mar sin apenas rozar el agua, como si fuera a despegar en cualquier momento. Pero ni siquiera navegando a toda vela podía medirse con las modernas fragatas a vapor que lo seguían.

—¡Están ganando terreno! —advirtió Elsie a gritos.

—¡No podemos avanzar más deprisa! —replicó el almirante—. ¡Cargad los cañones!

—Con todos mis respetos, almirante —intervino Retaco—, ¡no podemos disparar contra nuestros propios compatriotas!

—En eso llevas razón —caviló el almirante—. Nos colgarían por traidores.

—¡Seguro que algo podremos hacer! —exclamó Elsie—. ¿Cuántos barriles de pólvora tenemos?

Lucy los contó.

—Uno, dos, cuatro, tres, cuatro, nueve, tres, siete, mmm... ejem, seis. ¡Un montón!

Las matemáticas no eran su fuerte.

—Un montón. Muchas gracias, Lucy. Desde aquí veo doce. Doce barriles. ¿Y si los echamos al mar?

—¡Es la idea más absurda que he oído en mi vida, criatura! ¿A quién se le ocurre derrochar pólvora en perfectas condiciones? —replicó el almirante.

—¡No he terminado!

—UY, UY, UY... —murmuraron los viejos soldados.

—¡Nada de «uy, uy, uy» en mi barco! —bramó el almirante—. ¿Me habéis entendido? ¡Si dejas que la tripulación empiece a cuchichear, estás perdido!

Los ancianos asintieron en silencio, pero con una sonrisilla traviesa.

—**¡HIII!** —barritó Lanita.

—¡Y tú no me seas impertinente! —dijo el almirante, dirigiéndose al mamut.

—Como iba diciendo —continuó Elsie—, podríamos lanzar los barriles al mar de uno en uno. Luego esperamos hasta tener esas fragatas a tiro, y el soldado con mejor puntería coge un mosquete y dispara a los barriles.

—¿Quieres que volemos nuestra propia pólvora? —protestó el almirante, indignado—. ¡En mi vida he oído semejante majadería!

—Con todos mis respetos, señor —intervino Retaco tímidamente—. Creo que la idea es buena. ¡Así levantaríamos una cortina de humo!

—¿Una cortina de humo? —farfulló el almirante.

—¡Eso es! Lo que nos daría la posibilidad de despistar a esos barcos.

—Muy bien, soldados y... ejem, señoras, ¡cambio de táctica! —anunció el viejo lobo de mar.

—Cuando dé la orden, quiero que lancéis un barril por la borda. ¡Retaco!

—¿Sí, almirante?

—¿Sabes manejar un mosquete?

—Bueno, yo... ejem... verá, el caso es que... —vaciló el hombre. Estaba nervioso. Como solo tenía una medalla (que le habían dado por antigüedad, la que todos los soldados tenían), le costaba verse como un héroe.

Lo último que Retaco quería era decepcionar a todo el mundo.

• ⁓✳⁓ •

Capítulo 61

¡ABRAN FUEGO!

—¡Bien! —replicó el almirante, que como de costumbre, no había prestado atención a la respuesta—. Retaco, cuando yo dé la orden de abrir fuego, quiero que dispares a uno de los barriles.

El pobre Retaco estaba temblando de pies a cabeza. Saltaba a la vista que no quería verse en semejante aprieto.

Uno tras otro, los barriles rodaron hasta caer al mar.

RON, RON,
RON...
¡CHOF!
RON, RON,
RON...
¡CHOF!
RON, RON,
RON...
¡CHOF!

Pronto había una docena de barriles de pólvora cabeceando en el agua mientras la flota de la armada británica seguía acercándose cada vez más al *Victory*.

—¿Listo, Retaco? —preguntó el almirante.

El pobre recluta se las veía y deseaba para introducir la pólvora en el viejo mosquete.

—¡Un segundo, señor!

Lucy intentó ayudarlo pasándole la munición.

—¡Puedo hacerlo yo solo! —estalló el hombre.

—¡RETACO! —bramó el almirante.

—¡Listo, señor!

Retaco empuñó el mosquete.

—¡FUEGO!

El recluta respiró hondo. Esa era su gran oportunidad de demostrarles a todos que estaban equivocados, que él también tenía madera de héroe. Temblando, hizo algo que nunca había hecho en toda su vida de soldado. Apretó el gatillo.

¡CLIC!

Pero no pasó nada.

—¡Lo siento, señor, no estaba bien amartillado!

—¡FUEGO!

¡BANG!

La potencia del disparo hizo que fallara el tiro.

En vez de darle al barril que flotaba en el mar, la

bala pasó rozando la cabeza de Lanita y haciéndole la raya en medio...

—¡HIII!

... antes de abrir un gran boquete en una de las velas del HMS *Victory*.

—¡Serás mamarracho! —bramó el almirante—. ¡Te voy a meter un consejo de guerra que te vas a enterar!

—¡Soy un inútil! —se lamentó Retaco, cabizbajo.

—Dame ese mosquete, recluta —ordenó el almirante.

—¡Deje que vuelva a intentarlo! —suplicó Lucy.

—¿Qué es esto, la feria de atracciones? —preguntó el teniente.

—¡He tenido mi oportunidad y la he fastidiado! —gimoteó Retaco, desesperado.

—¡No, Retaco! —intervino Elsie—. Puedes hacerlo. Sé que puedes.

La niña se volvió hacia el almirante.

—Por favor...

El viejo lobo de mar tenía cierta debilidad por la pequeña.

—Bueno, de acuerdo —aceptó, resignado—. Pero hay una docena de barriles y solo tenemos otros tantos cartuchos, así que si falla el tiro no habrá más oportunidades.

—Tú no te pongas nervioso, amor mío —le dijo Lucy, aunque eso era poco menos que imposible.

El almirante soltó un suspiro y dio la orden:

—¡Fuego a discreción, recluta!

Retaco cargó el mosquete y apuntó. Respiró hondo, cerró los ojos, y disparó.

¡BANG!

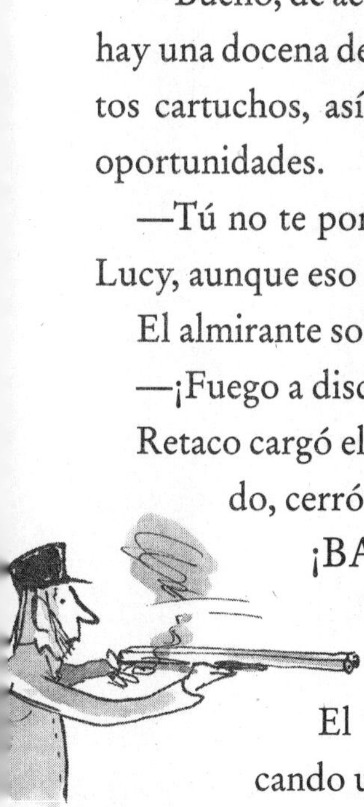

La bala pasó rozando el agua.

¡BUUUM!

El barril de pólvora estalló, provocando una densa humareda negra.

—¡VIVA! —exclamaron al unísono los viejos soldados en la cubierta del HMS *Victory*.

—**¡HIII!** —barritó el mamut.

—¡BIEN HECHO, RETACO! —gritó Elsie.

—¡Mi héroe! —añadió Lucy.

—Uno menos. ¡A por los otros once! —dijo Retaco.

—¡FUEGO! —ordenó el almirante.

¡BUUUM!

Otro.

¡BUUUM!

Y otro más.

¡BUUUM!

¡BUUUM!

¡BUUUM!

Tres de una tacada.

¡En el blanco!

¡Eso es!

¡BUUUM!

Ya no había quien lo parara.

¡BUUUM!

Chupado.

¡BUUUM!

Y el último...

¡BUUUM!

Contra todo pronóstico, Retaco había hecho saltar por los aires los doce barriles de pólvora. Ahora una gran cortina de humo negro se alzaba entre el *Victory* y sus perseguidores.

—¡VIVA! —exclamaron los soldados.

—¡HIII! —añadió Lanita.

Capítulo 62

TOCADOS PERO NO HUNDIDOS

—¡SILENCIO! —ordenó el almirante—. ¡Aguzad el oído para localizar a esos barcos!

A bordo todos enmudecieron. A lo lejos, se oía el gemido de las sirenas y el runrún de los motores.

¡POOO, POOO!

Se oyó incluso el estruendo del metal abollado cuando dos barcos chocaron entre sí.

¡CLONC!

¡CATAPLÁN!

¡CRAC!

—¡Ahí va! —dijo el almirante.

—¡Ya los tenemos! —exclamó Lucy.

—¡HIII! —chilló Lanita, levantando la trompa en un gesto triunfal.

—Nos enfrentamos a la armada británica —empezó el almirante—. La mejor del mundo. Están tocados, pero no hundidos. El humo no tardará mucho en disiparse. Tenemos que darnos prisa y cambiar de rumbo si queremos despistarlos. ¡TODO A ESTRIBOR!

La tripulación al completo se puso manos a la obra para conseguir que el barco diera un giro de ciento ochenta grados y virara a la derecha. Hasta el mamut empezaba a cogerle el tranquillo a aquello de navegar. Usando la trompa, cogió el timón y lo rodó hacia la derecha. El barco se inclinó tan bruscamente que todos perdieron el equilibrio, incluida Lanita, que se desplomó sobre el almirante.

—¡HIII!

¡PLOF!

—¡AAARGH! —protestó el almirante—. ¡QUITADME DE ENCIMA A ESTA BOLA DE PELO GIGANTE!

Elsie no pudo evitar sonreír mientras ella y todos los marineros de cubierta tiraban del mamut a la vez para liberar al viejo lobo de mar.

—¡Menos mal que no pensaba tener más hijos! —farfulló el almirante, levantándose con esfuerzo y yendo a la pata coja hacia la popa.

¡CLONC, CLONC, CLONC!

Entonces sacó el catalejo y escudriñó el mar. Poco a poco, la cortina de humo se iba dispersando. Elsie se puso a su lado y Lanita la siguió. El animal estaba intrigado. Con la trompa, arrebató el catalejo al almirante.

¡ZAS!

—¡TRAE PARA ACÁ! —protestó el hombre, y se lo quitó con malos modos. Luego añadió, dirigiéndose a Elsie—: A ver si controlas a tu amiguita.

—Lo intentaré, señor —contestó la niña con una sonrisa.

—No veo ningún barco —dijo el almirante—. Creo que lo hemos conseguido. ¡Santo cielo, lo hemos conseguido!

Justo entonces, Elsie distinguió un bulto que parecía salir de la cortina el humo.

—¡ALLÍ! —gritó.

El almirante volvió a mirar por el catalejo.

—¡RECÓRCHOLIS! Uno de los barcos ha logrado salir...

—No podemos rendirnos, almirante —dijo Elsie.

—¡ESO JAMÁS! ¡Escuchad, soldados... y, ejem, señora... y, por supuesto, jovencita... —empezó el almirante.

—¡HIII! —añadió Lanita, que no quería quedarse al margen.

—Sí, sí, mil perdones —dijo el almirante, poniendo los ojos en blanco—. Y mamut, claro está... El caso es que uno de los barcos ha logrado escapar.

—¡OH, NO! —exclamó la tripulación al unísono.

—Debemos prepararnos para lo peor. En menos de una hora nos darán alcance e intentarán un abordaje. Soldados... y, ejem, señora... y, por supuesto, jovencita...

—¡HIII! —le recordó Lanita.

—Y, cómo iba a olvidarlo, mamut: no nos queda munición ni pólvora, ¡pero debéis armaros con lo primero que encontréis!

—¡SÍ, SEÑOR! —contestó la tripulación con una sola voz.

—¡Suerte, soldados... y todos los demás!

La cubierta del HMS *Victory* bullía de actividad, pues todos a bordo empezaron a buscar algo con lo que armarse. No había suficientes sables para todos, así que la mayoría de los soldados cogieron escobas y fregonas.

Sin prisa pero sin pausa, la fragata de la armada británica se acercó lo bastante para que pudieran identificarla. Era el imponente HMS *Argonaut*.*

Con cuatro enormes chimeneas escupiendo el humo de su motor a carbón, el *Argonaut* surcaba las olas a todo gas, yendo derecho hacia el *Victory*.

Empuñando sus improvisadas armas, los viejos soldados hacían acopio de valor. El almirante se acercó a Elsie.

—No eres más que una niña. Será mejor que busques refugio bajo cubierta.

* Bautizado en honor a *Argo*, el barco de Jasón, un héroe de la mitología griega.

—¿Me toma el pelo? —replicó Elsie, cogiendo un largo listón de madera—. No me lo perdería por nada del mundo.

—¡Aún haré de ti una marinera! —exclamó el almirante.

Entonces se quitó la pata de palo y la blandió en el aire, listo para la lucha, sin pensar que no podía sostenerse sobre una sola pierna. El hombre se tambaleó por unos segundos y luego se desplomó sobre la cubierta.

¡PUMBA!

•⁓✳⁓•

Capítulo 63

¡RENDÍOS!

—¡RENDÍOS! —gritó alguien por el megáfono desde el HMS *Argonaut*, que ahora navegaba en paralelo al *Victory*.

—**¡JAMÁS!** —replicaron al unísono los tripulantes del HMS *Victory*.

—¡LO SIENTO, NO HE OÍDO BIEN!

—**¡HEMOS DICHO «JAMÁS»!**

—¿HABÉIS DICHO «JAMÁS»?

—**¡SÍ!**

—LO SIENTO, NO OIGO NADA. NO TENDRÉIS UN MEGÁFONO A MANO, ¿VERDAD?

—**¡NO!**

—¿CÓMO HABÉIS DICHO?

—¡**HEMOS DICHO QUE NO!**

—PUES QUÉ LÁSTIMA.

—**SÍ QUE LO ES.**

—LO SIENTO, ¿QUÉ HABÉIS DICHO?

—**HEMOS DICHO «SÍ QUE ES UNA LÁSTIMA».**

—GRACIAS. TENEMOS ÓRDENES DE LLEVAR EL **MONSTRUO DE LAS NIEVES** DE VUELTA A LONDRES. ES PROPIEDAD DE SU MAJESTAD LA REINA.

Todos los soldados miraron a Elsie.

—Lanita no pertenece a nadie —dijo la niña.

—¡**DE ESO NADA!** —gritaron al unísono desde el HMS *Victory*.

—¡QUE SÍ! —replicaron desde el *Argonaut*.

—¡**QUE NO!**

—¡QUE SÍ!

—¿Qué es esto, el patio del colegio? —preguntó el teniente.

—SI NOS DEVOLVÉIS LA CRIATURA, NO ABRIREMOS FUEGO. ¿OS RENDÍS?

—**¡NO!**

—ESO HA SIDO UN «NO», ¿VERDAD?

—**¡SÍ!**

—PERDÓN, ¿SÍ QUE HA SIDO UN «NO» O SÍ QUE OS RENDÍS?

—**¡HA SIDO UN «NO»!**

—¡GRACIAS!

—**¡DE NADA!**

—¡MUY AMABLES!

—**¡UN PLACER!**

—¡EN TAL CASO, PREPARAOS PARA EL COMBATE!

—Jolines, ya pensaba que no lo diría nunca —farfulló Lucy.

El HMS *Argonaut* se acercó más al HMS *Victory*. Los jóvenes soldados del primer barco miraron a los viejos soldados del segundo. Los dos grupos se saludaron en silencio. Al fin y al cabo, todos eran británicos. Y entonces el capitán del HMS *Argonaut* ordenó a su tripulación:

—¡AL ATAQUE!

Capítulo 64

UN CHARCO DE SANGRE

Los jóvenes marineros saltaron de un barco al otro con agilidad y se plantaron en la cubierta del *Victory* empuñando sus fusiles.

—¡A LA CARGA! —gritó el almirante, encabezando a su ejército de la tercera edad.

Los viejos soldados eran valientes, y salieron al paso de los jóvenes marineros blandiendo sables, fregonas y escobas.

¡CLONC!

¡CLINC!

¡CLANC!

Iban derechos a los fusiles, tratando de tirarlos al suelo.

Mientras tanto, Lucy había encontrado un viejo cubo de hojalata y lo usaba para golpear a los jóvenes marineros en la cabeza.

¡PUMBA!

¡PLONC!

¡PLAF!

Dejó a muchos fuera de combate.

—¡AAAY!

¡ZAS!

—¡UUUY!

¡ZAS!

—¡ARGH!

¡ZAS!

Mientras tanto, Elsie atacaba a los invasores atizándoles en el trasero con el tablón de madera.

¡ÑACA!

—¡AY!

¡REÑACA!

—¡AAAY!

¡RECONTRAÑACA!

—¡AAAAAAYYY!

Una sonrisa iluminó su rostro. Se lo estaba pasando en grande.

Lanita también se unió a la fiesta.

—¡HIII!

Con los colmillos, el mamut cogió a un marinero en volandas y lo lanzó por la borda.

—¡NOOO!

¡CHOF!

Sin parar de luchar, Elsie vio por el rabillo del ojo cómo giraban un cañón del HMS *Argonaut* para apuntar directamente al mamut. El capitán dio la orden.

—¡¡¡FUEGO A DISCRECIÓN!!!

—¡¡¡NOOOOOO!!! —gritó Elsie, levantando los brazos para proteger a su amiga.

Una inmensa red salió disparada desde la cubierta del *Victory* y cayó sobre el mamut.

—¡HIII! —barritó Lanita. La pobre se resistía como podía, dando bandazos y sacudidas.

—¡HIII!

Pero cuanto más lo hacía, más se enredaba en la inmensa malla.

—¡HIIIIIIIII!

—¡HIII! ¡HIII!

—¡LANITA, LANITA! —gritó la niña, intentando calmar al animal.

El mamut se abalanzó hacia delante, llevándose por delante cuanto encontró a su paso.

—¡HIII!

Dio media vuelta y tiró a un marinero al suelo.

¡CATAPLÁN!

—¡ARGH!

Otro acabó pisoteado por una gigantesca pata prehistórica.

¡PLOF!

—¡AAAY!

Un tercer marinero quedó atrapado en la red y se vio arrastrado por toda la cubierta.

—¡SOCORRO!

Sin querer, el dedo del marinero apretó el gatillo del fusil que seguía empuñando. Se oyó un disparo.

¡BANG!

A bordo del *Victory* se hizo el silencio.

Lanita también había enmudecido. Ya no se movía, y se quedó unos instantes inmóvil antes de caer de rodillas y desplomarse hacia un lado con un ensordecedor CATAPLÁN.

Un gran charco de sangre se extendió en la cubierta del barco.

—¡LANITAAA! ¡NOOOOOO! —chilló Elsie.

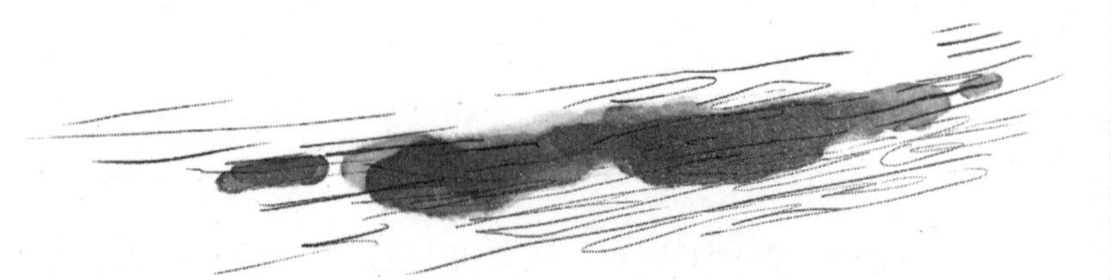

Capítulo 65

EN EL OJO DE LA TORMENTA

Los viejos soldados y los jóvenes marineros unieron fuerzas para liberar al mamut de la red. En cuanto logró rescatar a dos de sus hombres que habían caído al mar del Norte, el capitán del HMS *Argonaut* subió a bordo del HMS *Victory* para echar una mano.

—Cuánto lo siento —dijo.

Elsie había puesto las manos sobre el pecho de Lanita, por encima de la herida de bala, para detener el flujo de sangre.

—¿POR QUÉ LE HABÉIS DISPARADO? —preguntó a gritos—. ¿POR QUÉ?

No hubo respuesta.

—¡Que alguien haga algo! —suplicó la niña.

Lucy acercó la oreja a la boca del animal.

—No la oigo respirar. Lo siento muchísimo, Elsie. Sé que la querías. Y ella te quería a ti. Pero no hay nada que hacer.

—¡NOOO! —chilló Elsie.

¡BUUUM!

Un trueno resonó en el mar. Al fondo, sobre el horizonte, se veían unos nubarrones negros. Se acercaba una tormenta.

—¡Poned rumbo a la tormenta! —ordenó Elsie.

El almirante parecía horrorizado.

—Ni hablar. Eso sería nuestro fin.

—Es nuestra única esperanza de salvarla.

—¿Metiéndonos de cabeza en una tormenta? —preguntó el almirante.

—En el museo, usamos la energía de un rayo para poner en marcha su corazón. Tal vez podamos volver a hacerlo.

Lucy corrió hacia Elsie, que trataba de contener la hemorragia.

—¡Ya me encargo yo de esto! —dijo.

La mujer hundió la fregona en la herida del mamut, y la sangre empezó a manar más despacio.

—¡Podemos remolcaros hasta la tormenta! —sugirió el capitán del *Argonaut*.

—No —replicó el almirante—. Es demasiado peligroso. Vosotros sois jóvenes, tenéis toda la vida por delante.

Se volvió hacia los ancianos de su tripulación.

—Soldados, ¿estáis todos conmigo?

—¡SÍ, SEÑOR! —contestaron al unísono.

—¡Le deseo suerte! —dijo el capitán, y el almirante y él se saludaron con solemnidad—. Nos aseguraremos de que la reina Victoria sepa la valentía que habéis demostrado.

El capitán lideró a sus hombres de vuelta al *Argonaut* mientras el almirante seguía impartiendo órdenes.

—¡Pongamos rumbo a la tormenta!

Los hombres se pusieron manos a la obra, y pronto el HMS *Victory* surcaba el mar a toda velocidad, yendo derecho a los nubarrones.

—Elsie —empezó Lucy—, ¿sabes lo que estás haciendo? No tenemos el globo, ni cable metálico, ni nada.

—Lo sé —contestó la niña con voz ahogada, intentando contener el llanto—. Pero algo tenemos que hacer...

Elsie escudriñó la cubierta del *Victory* hasta que creyó ver algo en la proa.

—¿Ves esa cadena metálica, Retaco?

—¡Sí! —contestó el viejo soldado—. Sirve para levar el ancla.

—Pon el ancla sobre el corazón de lanita y pásame la punta de la cadena.

—¡A la orden!

Retaco se fue correteando hasta la proa y, con la ayuda de sus compañeros, arrastró el ancla y la cadena hasta el rincón donde yacía el mamut.

Elsie cogió la punta de la cadena y la enrolló alrededor de su muñeca. Luego se puso un sable entre los dientes, como si fuera un pirata, y con sus pies de mono empezó a trepar por las jarcias.

—¿Adónde crees que vas? —le preguntó Lucy.

—A la cofa, por supuesto —farfulló la niña. Apenas se la entendía por culpa del sable que llevaba en la boca.

Mientras el barco remontaba una tras otra las grandes olas, que se precipitaban con estruendo a su alrededor...

¡PLAF! ¡PLAF! ¡PLAF!

... Elsie trepaba sin parar. Cuando llegó arriba, se metió en la cofa y miró directamente a la tormenta que tenía delante.

—¡Vamos! —susurró al cielo—. Demuéstrame de lo que eres capaz.

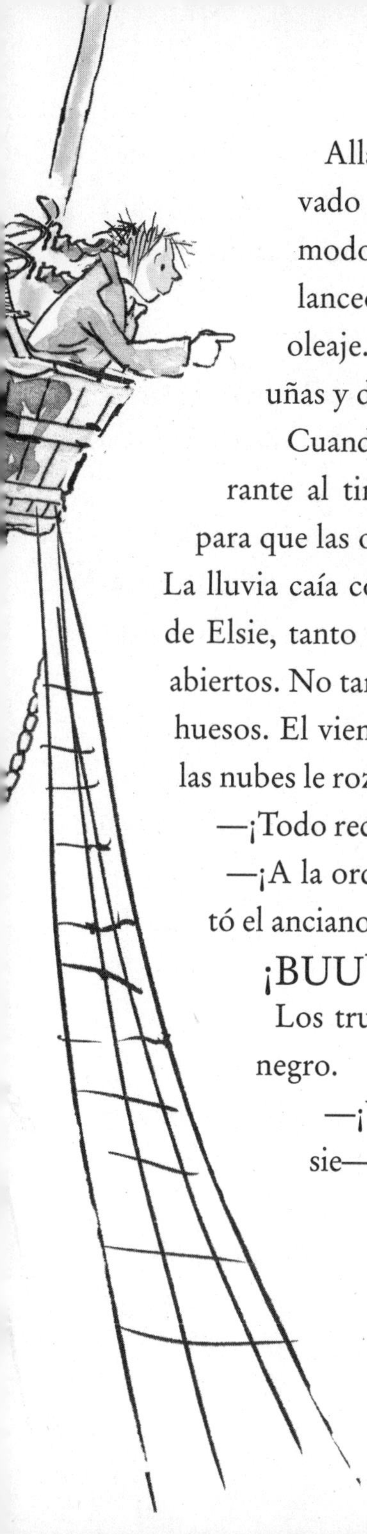

Allá arriba, en el punto más elevado del *Victory*, se notaba de un modo especialmente intenso el balanceo del barco zarandeado por el oleaje. Elsie se agarró a la cofa con uñas y dientes.

Cuando miró hacia abajo vio al almirante al timón, sujetándose con fuerza para que las olas no lo arrastraran consigo. La lluvia caía con fuerza y azotaba el rostro de Elsie, tanto que le costaba tener los ojos abiertos. No tardó en quedar calada hasta los huesos. El viento zumbaba a su alrededor y las nubes le rozaban el pelo.

—¡Todo recto, almirante! —ordenó.

—¡A la orden, capitana Elsie! —contestó el anciano desde la cubierta.

¡BUUUM!

Los truenos retumbaban en el cielo negro.

—¡Vamos, rayo! —murmuró Elsie—. Sé que andas por aquí cerca.

Como si la hubiese escuchado, un fogonazo iluminó el cielo.

¡CATACRAC!

—¿Estás segura de que sabes lo que haces? —preguntó Lucy desde abajo.

—No. ¡Esto es una locura!

—¿Locura de la buena o de la mala?

—¡De la buena, espero!

Elsie cogió el sable y levantó el brazo en dirección al cielo.

—¡Elsie! ¡El rayo podría matarte! —gritó Lucy.

—Si eso pasa, ¿me prometes que cuidarás de Lanita? ¿Te asegurarás de que llega al Polo Norte, por favor?

—¡No lo hagas!

—¿Por qué no?

—Te quiero, Elsie. Eres como una abuela para mí.

—Como una nieta, querrás decir. Yo también te quiero, Lucy, pero tengo que salvar a mi amiga. Prométeme que cuidarás de ella.

—¡Prometido!

En ese instante, un rayo cayó sobre la vela mayor, que estalló en llamas.

¡BUUUM!

—¡FUEGO A BORDO! —gritó el almirante mientras sus hombres corrían a apagarlo.

—¡Por poco! —susurró Elsie. Alargó el brazo hacia arriba tanto como pudo y cerró los ojos—. ¡VAMOS ALLÁ! —gritó.

Un rayo cayó sobre la punta del sable.

—¡AAAY! —chilló Elsie, sacudida por la descarga eléctrica.

Capítulo 66

EN EL FONDO EL MAR

La electricidad atravesó el cuerpo de la niña y bajó por la cadena metálica. El ancla, que estaba pegada al corazón sin vida del mamut, le dio un buen calambrazo.

¡ZAS!

En el mismo instante que Elsie caía de rodillas en el punto más elevado del barco, un estremecimiento sacudía las piernas de Lanita.

El mamut abrió un ojo.

Luego el otro.

—¡ESTÁ VIVA! —gritó Lucy—. ¿Me oyes, Elsie? ¿Elsie?

Mientras los truenos y relámpagos se sucedían a su alrededor, Lucy y Retaco alzaron los ojos hacia la cofa.

—**¡NOOO!** —gritó Lucy cuando vio a la niña caída sobre el borde de la cofa, inconsciente.

—¡Tú encárgate de Lanita! —gritó Retaco, y empezó a trepar por las jarcias.

El barco se inclinaba violentamente de aquí para allá, y cuanto más subía el viejo soldado, más temía acabar en el fondo del mar.

Finalmente alcanzó la cofa. la pequeña yacía inmóvil en su interior.

—¡ELSIE, ELSIE! —la llamó, pero no obtuvo respuesta.

La cogió en brazos y se la echó al hombro. Luego emprendió el peligroso descenso y tendió a la niña sobre la cubierta del barco.

Elsie tenía la cara ennegrecida y, pese a la lluvia, su pelo y su ropa echaban humo.

Daba la impresión de que la misma descarga eléctrica que había devuelto la vida al mamut se la había arrebatado a ella.

Al ver a su amiga inconsciente, Lanita se levantó a trancas y barrancas y se le acercó.

Primero, intentó despertar a Elsie tocándola con la pata.

—¡HIII!

Pero lo único que consiguió fue que la niña rodara de aquí para allá como un peso muerto.

Entonces le dio un lametazo en la cara.

—¡HIII!

Al hacerlo, una marca blanca con forma de zigzag asomó en su piel.

Lucy rompió a llorar y abrazó con fuerza el cuerpo sin vida de Elsie.

—¡No, no! ¡No puede ser!

Retaco la rodeó con los brazos.

—Creo que la hemos perdido.

• ⁓✱⁓ •

Capítulo 67

CABIZBAJOS

Los viejos soldados se reunieron en torno al cuerpo de Elsie, cabizbajos y con las gorras pegadas al pecho.

En la cubierta del *Victory* reinaba un silencio sepulcral.

Sin embargo, Lanita aún no había perdido la esperanza de recuperar a su amiga.

—¡HIII!

Para sorpresa de todos, el mamut plantó la trompa sobre la nariz y la boca de la niña y empezó a insuflarle aire.

—¿Qué hace la bestia? —preguntó el almirante, que seguía al timón, tratando de cruzar la tormenta sin naufragar.

—Parece que está intentado hacerle el boca a boca... ¡o mejor dicho, el trompa a boca! —contestó Lucy.

—¡Se le ha movido el pecho! —exclamó Retaco.

—¡Gracias a Dios! —dijo Lucy—. ¡Está viva!

Elsie abrió los ojos. Lo primero que vio fue una enorme trompa peluda y mojada. En un principio no sabía dónde estaba, ni tan siquiera quién era.

—¿Qué ha...?

Pero, en cuanto comprendió quién la miraba desde arriba, cogió la trompa entre las manos y la besó.

—¡Oh, gracias, gracias, gracias, Lanita! ¡Te quiero!

El mamut rodeó a la niña con la trompa y la atrajo para darle un gran abrazo.

—¡VIVA! —exclamaron los viejos soldados.

—Todo esto es muy emocionante, caballeros y... ejem, señora y... niña, y por supuesto mamut y etcétera y tal —empezó el almirante—, pero, si me lo permiten, ¡les recuerdo que seguimos estando en el ojo de la tormenta! ¡Necesitamos a todos los hombres, mujeres y animales prehistóricos a bordo si queremos sobrevivir! ¡A sus puestos ahora mismo!

· ⁓ ✱ ⁓ ·

TERCERA PARTE

El POLO NORTE

Capítulo 68

BAQUETEADO Y MALTRECHO

Baqueteado y maltrecho, el HMS *Victory* logró al fin dejar atrás la tormenta.

Un **viento gélido** barría la cubierta del barco, pues estaban cada vez más cerca del Polo Norte. Desde la cofa, alguien gritó:

—¡ICEBERG A LA VISTA!

—Ya falta poco, Lanita —susurró Elsie al oído del mamut.

El animal asintió con la cabeza y barritó:

—¡HIII!

—Pero que muy poco.

El almirante pilotaba el HMS *Victory* con mano experta en aquel laberinto de hielo.

—¡TIERRA A LA VISTA! —se oyó de pronto.

—¡HIII! —barritó Lanita, emocionada por volver a casa.

El barco fondeó junto a la orilla helada, haciendo que una colonia de morsas se zambullera en el agua.

¡PLOF, PLOF, PLOF!

Después de varias semanas en el mar, el mamut se moría de ganas de pisar tierra firme. Todo su cuerpo temblaba de emoción.

—¡Ya casi estamos, Lanita! —le dijo Elsie.

En cuanto encontraron un lugar seguro, ayudó a su amiga a bajar por la plancha. Sin pensárselo dos veces, el mamut se tiró al suelo y empezó a revolcarse en la nieve. Elsie pensó que aquello tenía que ser divertido, así que se unió a ella y hasta le tiró una bola de nieve.

¡ZAS!

A cambio, Lanita sorbió nieve con la trompa y la descargó sobre ella.

¡PFFF!

Lucy y Retaco las observaban desde la cubierta del *Victory* como dos orgullosos abuelos.

Cuando Elsie y Lanita empezaron a cansarse, la niña decidió que había llegado el momento de despedirse. Se abrazó a su amiga con todas sus fuerzas.

—¡Cuánto te voy a echar de menos! —susurró al oído del mamut.

Lanita meneó la cabeza como si dijera que no.

¿Qué estaría tratando de decir?

Alargando la trompa, cogió a la niña de la mano y empezó a tirar de ella.

—Lanita quiere que la acompañe —informó a los del barco—, pero ¿adónde?

•⁓*⁓•

Capítulo 69

UNA ESPECIE DE MÁQUINA

—¡Nosotros también vamos! —exclamó Lucy, cogiendo la mano de Retaco.

—¿Tenemos que ir? ¡Me estoy con-con-congelando! —refunfuñó el viejo soldado.

—¡En marcha!

La mujer arrastró a su amado hasta el hielo.

—¡Espérenos aquí, hágame el favor! —pidió Lucy al almirante.

—Pensábamos volver a Londres enseguida —replicó el almirante con sarcasmo—, pero si así lo desea, esperaremos.

—¡Muy amable, gracias! —dijo la mujer sin inmutarse.

Lanita guio a sus amigos por la superficie helada, y no tardaron en perder al *Victory* de vista.

—Tenemos que acordarnos del camino para volver —observó Retaco.

—Claro. Cuando lleguemos a una loma de nieve, doblamos a la izquierda —apuntó Lucy como si tal cosa.

Entonces un rugido hizo vibrar el suelo bajo sus pies.

¡RRRRRR!

Lanita se paró en seco.

—**HIII...** —gimió bajito, claramente asustada.

—¿Qué ha sido eso? —preguntó Elsie.

—¡El qué? —replicó Lucy.

—Ese ruido —dijo la niña, y pegó la oreja al suelo helado.

—Tal vez sea una orca —sugirió Retaco.

Lanita negó con la cabeza.

—No —replicó la niña—. Suena como una especie de máquina.

Se quedaron los cuatro quietos y callados.

De pronto, se oyó un estruendo ensordecedor, como si algo perforara la gruesa capa de hielo.

¡ROOORRRRRR!

Unos metros más allá, un objeto metálico salió a la superficie.

¡CATACRAC!

—¡**HIIIIII!** —chilló Lanita.

—¿Qué es esa cosa? —preguntó Elsie.

—Es un submarino —contestó Retaco.

—¿Y qué hace aquí? —preguntó la niña.

—¿Y quién va a recoger todos esos añicos de hielo? —se preguntó Lucy.

El submarino se abrió paso hasta la superficie y se quedó unos instantes flotando en el mar.

—¿Nos damos el piro? —sugirió Elsie.

—No. Resistimos a pie firme —replicó Retaco.

—¡Mi héroe...! —suspiró Lucy.

La escotilla superior del submarino se abrió y de su interior salió lo que parecía un salacot, seguido de una cara renegrida que tenía pinta de haber sobrevivido a una explosión.

—Vaya, vaya, vaya. Qué casualidad encontraros aquí... —dijo la mujer con retintín.

Era lady Perdigón. Tenía un puro en la boca y una escopeta entre las manos.

—¡HIII! —chilló Lanita.

—¡Sí, quién me lo iba a decir! —replicó Lucy con retintín.

—Tendríamos que habernos dado el piro —dijo Retaco.

—Creíais que os habíais librado de mí, ¿verdad? —preguntó la cazadora de grandes mamíferos mientras bajaba del submarino—. Que vuestro truquito en el puente de las dos Torres había sido una idea brillante, ¿verdad?

—Mmm... —caviló Lucy—. Seguro que meto la pata, pero la verdad es que sí, a mí me lo pareció.

—¡SILENCIO!

—¡No haber preguntado!

—¡Era una pregunta retórica!

—¿Una pregunta requé?

—¿No sabes lo que es una pregunta retórica?

—No.

—¡SILENCIO! ¡Esa pregunta también era retórica!

—Me parece que está entrando en bucle.

—Decidido, ¡serás la primera que me cargue!

Elsie se plantó delante de Lucy.

—¡De eso nada! —dijo la niña.

Retaco se plantó delante de Elsie.

—¡DE ESO NADA! —afirmó.

Y entonces Lanita los apartó a ambos con la trompa.

—¡**HIII!** —barritó con cara de pocos amigos.

—Pues yo me quedo aquí detrás, si a todo el mundo le parece bien —anunció Lucy.

—¡Hasta el moño me tenéis! —estalló Perdigón, escupiendo el puro y apuntando con la escopeta a los cuatro amigos, de uno en uno—. ¡OS MATARÉ A TODOS Y NO SE HABLE MÁS!

•→✳←•

Capítulo 70

UN OSO POLAR

Lady Perdigón amartilló la escopeta.

¡CLIC!

—¿No veis lo bien que quedarían todas vuestras cabezas colgadas de la pared de mi casa, pazguatos? —dijo.

—A mí me gusta más llevarla pegada al cuerpo —replicó Elsie—, ¡y Lanita opina lo mismo!

—**¡HIII!** —asintió el mamut.

—¿Lanita? —se burló lady Perdigón—. ¡Ahora resulta que el monstruo tiene nombre!

—No es un monstruo, sino un marabú —afirmó Lucy.

—¡¿Un qué?! —preguntó lady Perdigón.

—¡UN MARABÚ! ¿QUÉ PASA, ESTÁ SORDA?

—Es una historia muy larga... —intervino Elsie.

—Pues dejémoslo ahí, que tampoco voy sobrada de tiempo. Preparaos para morir...

Retaco levantó la mano.

—Perdone, lady Perdigón...

—¿Qué pasa ahora?

—Tiene un oso polar justo detrás —mintió el hombre.

—¿Pero qué dices? —intervino Lucy.

—¡Cierra el pico! —dijo Retaco entre dientes.

—¡Es verdad! —exclamó Elsie, pillando al vuelo el plan de Retaco—. Un oso enorme.

—¡No esperaréis que me crea esa patraña! —bramó lady Perdigón.

—¡HIII! —barritó Lanita, señalando con la trompa a espaldas de la mujer.

—Ah, ya lo pillo —dijo Lucy—. ¡Hay un gran oso marrón...

—¡Blanco! —corrigió Retaco en un susurro.

—... un gran oso blanco a su espalda!

—¡Quedaría genial en su pared! —añadió Elsie. Entonces se dio cuenta de que, a su espalda, el mamut tenía todo el cuerpo en tensión.

—¿Qué haces, Lanita? —le preguntó en susurros. El animal había cerrado los ojos con fuerza y parecía muy concentrado.

Hasta que, finalmente, lo consiguió.

Soltó una estruendosa traca de pedos.

¡GGGGGGRRRUUUUUU-RRRRRR!

Una traca que sonó exactamente como el rugido de un oso polar.

Al oírlo, lady Perdigón se dio la vuelta. Era la oportunidad que estaban esperando los cuatro amigos, que se abalanzaron sobre la mujer. Retaco le hizo un placaje de rugby que la tiró al suelo.

¡ZASCA!

—¡ARGH!

Lucy se sentó encima de ella, inmovilizándola.

—¡SAL DE ENCIMA, PALURDA!

Elsie le quitó la escopeta y la tiró lo más lejos que pudo. El arma se hundió en la nieve.

—¡DEVUÉLVEMELA!

Por último, Lanita avanzó hacia la mujer y la cogió del tobillo con la trompa.

—¿QUÉ HACES, PEDAZO DE BESTIA?

Intuyendo lo que iba a pasar, Elsie ayudó a Lucy a apartarse de la mujer.

Entonces el mamut cogió en volandas a su enemiga mortal.

—¡SOCORRO! —gritó lady Perdigón.

—¡Ya puede desgañitarse! —replicó Lucy.

El mamut levantó a la cazadora en el aire y empezó a mover la trompa en círculos, zarandeándola sin piedad.

—¡¡¡AAARRRGGGHHH!!!

—gritó lady Perdigón.

Lanita movía la trompa cada vez más deprisa.

¡ZAS, ZAS, ZAS!

Ahora la mujer no era más que un borrón.

—¡¡¡AAAAAARRRGGHHHHHH!!!

—¡Suéltala ya! —gritó Elsie.

El mamut obedeció.

—¡¡¡¡¡¡NOOOOOOOOO!!!!!!

—gritó lady Perdigón mientras daba vueltas en el aire como un bumerán.

¡¡¡FIUUU!!!

Pero, a diferencia de los bumeranes, la mujer no volvió al punto de partida.

Lady Perdigón sobrevoló el Ártico y aterrizó muy lejos de allí con un sonoro ¡CATAPLÁN!

—Gracias, marabú —dijo Lucy—. Esa mujer empezaba a ponerme de los nervios.

Capítulo 71

LA TORMENTA DE NIEVE

Lanita guio a los humanos a lo largo de muchos kilómetros a través de aquel desierto helado, yendo siempre hacia el norte. Cuando empezó a anochecer, el cielo entero se tiñó de rojo, verde y morado.

—¡Hala! ¡Qué maravilla! —exclamó Elsie, deteniéndose a contemplar el espectáculo de luces y colores.

—Es la aurora boreal —informó Retaco—. Solo se puede ver cuando estás muy al norte.

—Pues yo fui una vez a Yorkshire, para visitar a mi tía Maud, y no vi ninguna —apuntó Lucy.

Retaco negó con la cabeza.

—Me refería al norte norte.

—Para mí, Yorkshire es el norte norte —replicó la mujer—. Pasé horas metida en un tren para llegar hasta allí. ¿Adónde nos lleva el marabú?

—¡Al norte! —contestó Elsie—. ¡Al norte norte!

—¿Habrá tiendas allí? —preguntó Lucy.

—Lo dudo —contestó Retaco.

—No necesito nada muy sofisticado, me basta con una taza de té y unos sándwiches o pastas.

—Lo único que habrá es más hielo.

—¡Lástima! —dijo Lucy—. Empiezo a tener apetito.

Subieron a la cima de un monte cubierto de nieve desde el que se avistaba un valle blanco.

—¿Falta mucho? —gimoteó Lucy.

—**¡HIII!** —contestó Lanita, apuntando con la trompa hacia delante, y empezó a bajar la ladera del monte al galope.

—¡Algo me dice que estamos llegando! —dijo la niña, y echó a correr detrás de su amiga.

—**¡HIII!**

—¡Hiii! —repitió Elsie.

—¿Adónde estamos llegando? —preguntó Lucy.

—No lo sé —contestó Retaco, que le ofreció la mano y la ayudó a bajar por la pendiente nevada.

A lo lejos, Elsie creyó distinguir algo que sobresalía en la nieve. Al verlo más de cerca, comprendió que era una bandera. La bandera de Gran Bretaña. A su alrededor había una serie de estacas que dibujaban un gran rectángulo en el hielo. Casi parecía una sepultura.

—¡Aquí debe de ser donde encontraron a Lanita! —exclamó Elsie.

—¡HIII! —chilló el animal, haciendo como que excavaba con la trompa.

—¿Por qué diantres nos habrá traído el marabú hasta aquí? —refunfuñó Lucy.

—Tiene que haber un motivo, Lucy, te lo aseguro —dijo la niña.

Como si le dieran la razón, las luces de colores que hasta entonces surcaban el cielo bajaron al suelo. El viento levantó un remolino de nieve que no tardó en envolver a los cuatro amigos. Estaban en el centro de una gran tormenta de nieve. Elsie, Lucy y Retaco no podían tener los ojos abiertos, y lo suyo les costaba respirar. Lo único que podían hacer era acurrucarse junto al mamut, asustados.

—¡Es el fin, Lucy! —farfulló Retaco con la boca llena de nieve—. Tengo que decirte que...

—¿Decirme el qué? —preguntó la mujer.

—¡Déjame terminar la frase!

—¡Lanita no nos habría traído hasta aquí para morir! —gritó Elsie—. Tiene que haber algún motivo.

El mamut envolvió a la niña con la trompa.

—¡HIII! —barritó.

—No me sueltes —pidió Elsie—, por favor.

Parecía de veras que era el fin.

El torbellino de nieve seguía estrechando su cerco alrededor de los cuatro amigos. Los estaba asfixiando. Ya no podían ver, sentir ni oír nada.

Elsie se las arregló para entreabrir los ojos un instante y vio una siluetas gigantescas que parecían haber salido de la nada.

—¡MIRAD! —gritó.

No estaban solos.

Capítulo 72

UN CÍRCULO PERFECTO

Una docena de bultos altos y anchos como barcos se acercaban bajo la nieve.

Lucy y Retaco casi no podían abrir los ojos. Cuando al fin lo consiguieron, se toparon con una escena maravillosa.

Un rebaño de mamuts.

—No me gustaría nada limpiar la porquería que dejarán todos esos a su paso —murmuró Lucy para sus adentros.

—¿Esto está pasando realmente? —preguntó Retaco.

—No tengo ni idea —respondió Elsie—, ¡pero es maravilloso!

—¡HIII! —barritó Lanita.

Como por arte de magia, el torbellino blanco se hizo más amplio y los cuatro amigos se descubrieron en medio de un círculo perfecto donde todo era paz

y tranquilidad mientras un muro de nieve seguía dando vueltas a su alrededor.

Despacio, Lanita se apartó de los humanos y se acercó al rebaño. Uno de los mamuts se adelantó y alargó la trompa en su dirección. Lanita hizo lo mismo, y las dos trompas se enroscaron cariñosamente entre sí.

Todos los demás mamuts levantaron la trompa y barritaron al unísono:

¡HIII! ¡HIII! ¡HIII!

¡HIII! ¡HIII!

¡HIII! ¡HIII! ¡HII!

¡HIII!

¡HIII! ¡HIII! ¡HIII!

¡HIII! ¡HIII!

¡HIII! ¡HIII!

Las lágrimas bañaron el rostro de Elsie. Eran lágrimas de alegría y de tristeza a la vez. De alegría porque sabía que por fin su amiga había vuelto a casa. De tristeza porque también sabía que tendría que despedirse de ella.

Lanita se dio media vuelta y la llamó por señas con la trompa.

—¡HIII!

La niña respiró hondo y avanzó por la profunda capa de nieve. Lanita rodeó con la trompa a su amiga y la acercó al otro mamut, que era mucho más grande. En un primer momento Elsie tuvo miedo, pero el gigantesco animal la envolvió en un cariñoso abrazo con la trompa, y Lanita no tardó en unírseles. La niña supo enseguida de quién se trataba.

—¡Lanita, cuánto me alegro de conocer a tu mamá! —exclamó, intentando no llorar.

Ambos animales asintieron con la cabeza y suspiraron con ternura.

—¡HIII! —barritó otro mamut, más grande todavía, que estaba a su espalda.

Había llegado el momento de irse. El rebaño empezó a alejarse.

La mamá mamut empujó suavemente a su hija hacia la niña. Tenían el tiempo justo para un último abrazo. Elsie hundió la cabeza en el pelaje de su amiga y la rodeó con los brazos. A cambio, Lanita lamió la cara de la niña con su lengua áspera. Fue un beso tierno y dulce, aunque un poco baboso.

—Te quiero, Lanita —le susurró Elsie al oído—. Nunca te olvidaré. Tú tampoco te olvidarás de mí, ¿verdad que no?

—**¡HIII!** —contestó Lanita.

—**¡Hiii!** —repitió Elsie.

La niña alargó la mano y le acarició el pelo mientras Lanita se daba la vuelta. Era la última vez que la tocaba. Elsie vio cómo, uno tras otro, todo el rebaño

desaparecía al otro lado del torbellino de nieve. Lanita miró hacia atrás una última vez, dijo adiós con la trompa y luego también ella desapareció.

Las lágrimas volvieron a rodar por las mejillas de Elsie mientras Lucy y Retaco la rodeaban con los brazos y la estrechaban con fuerza. La tormenta pasó tan deprisa como había empezado, dejando a los tres amigos solos en el páramo helado del Ártico.

•→✱←•

CUARTA PARTE

REGRESO TRIUNFAL

Capítulo 73

TITULARES DE LA PRENSA MUNDIAL

Si el largo viaje de vuelta a Londres fue triste, la travesía por el Támesis fue todo lo contrario. Los londinenses acudieron en masa para ver al HMS *Victory*, que había dejado en evidencia a toda la armada británica, navegando río arriba. Las aventuras del mamut copaban los titulares de la prensa de todo el mundo.

FRACASO
DE LA POLICIA
L MONSTRUO
LOGRA
ESCAPAR
BUQUE DE
GUERRA
CENTENARIO
DERROTA A
LA ARMADA
BRITÁNICA
London Chronicle
LAN SECRETO
ARA DEVOLVER
MONSTRUO
AL ÁRTICO
The Evening Standard
RESCATADO EN EL TÁMESIS
PROFESOR
¡DESAPARECIDO!
ROFESOR
MALVADO
TRE REJAS
The Times
¡ENCERRADO!
PASÓ UN MES EN
UN ARMARIO DE LA
LIMPIEZA:
«He tenido que co-
mer fregonas para so-
brevivir —afirma el sr.
Zoquete—. Y ahora
me gustan tanto que
no quiero otra cosa.»

La gente llenaba las riberas para dar la bienvenida al HMS *Victory*, lo que animó un poco a Elsie. Durante la larga travesía, la niña había echado muchísimo de menos a su amiga. Se había acostumbrado al olor, la voz y el tacto del mamut. Hubiese dado cualquier cosa por volver a notar cómo su trompa la envolvía. Era como si le faltase una parte de sí misma.

Había pasado un mes o más desde que habían partido de Londres. El hielo que cubría el Támesis se había fundido y el HMS *Victory* avanzaba a toda vela hacia el centro de la ciudad.

Pese al recibimiento entusiasta del pueblo londinense, había muchos nervios a bordo cuando el barco atracó en el muelle. Un grupo de policías liderados, cómo no, por el inspector Gruñido los estaba esperando en la orilla.

—No hay de qué preocuparse, agentes. Solo, ejem, cogimos prestado el *Victory*. Lo llevamos a dar una vueltecita... —anunció el almirante desde la cubierta.

El inspector Gruñido lo miró con cara de pocos amigos. Le temblaba el labio superior de rabia apenas contenida, haciendo que se le moviera el bigotillo arriba y abajo.

—Tenemos órdenes de llevarlos directamente al palacio de Buckingham —anunció—. ¡Su Majestad la reina quiere tener una charla con todos ustedes!

Los pensionistas tragaron saliva. La cosa no pintaba nada,

pero nada
de nada
bien.

*

Capítulo 74

UNA CARAVANA DE CARRUAJES

Una caravana de carruajes tirados por caballos cruzó las calles de Londres a toda velocidad en dirección al palacio de Buckingham. Elsie iba en el primero, sentada entre Lucy y Retaco. Los dos ancianos parecían muy preocupados.

Lucy sacó un pañuelo y lo humedeció escupiéndole saliva.

—Elsie, voy a darte un repasito rápido —dijo, y empezó a frotar la cara de la niña como si quisiera sacarle brillo.

—¡QUITA DE ENCIMA! —chilló la pequeña.

—¡Vas a ver a la reina! ¿Cuándo fue la última vez que te diste un baño?

—¿Un qué?

—¡Me lo temía!

La caravana de carruajes cruzó la imponente verja de hierro que rodeaba los jardines del palacio de Buckingham. Elsie, Lucy y Retaco pegaron la cara a las ventanillas para no perder detalle.

—¡GUAU! —exclamó la niña.

—Es magnífico —añadió Retaco.

—Digno de reyes —puntualizó Lucy.

—¡Es que es de reyes! —replicó Retaco—. Aquí vive la familia real.

—Pues debe de ser una familia muy rica —observó la mujer.

El carruaje se detuvo ante la puerta del mismísimo palacio. Un lacayo salió a abrir la portezuela del vehículo y los tres amigos bajaron a la alfombra roja.

Los viejos soldados se pusieron las gorras y los guantes blancos, se estiraron las chaquetas rojas y entraron en el palacio marcando el paso en perfecta formación.

Elsie quedó deslumbrada por la opulencia del palacio. Nunca hubiese imaginado, ni en sus sueños más osados, que alguien pudiese vivir así. Allá donde mirara veía oro, mármol y terciopelo. Las pinturas al óleo, las esculturas y los ornamentos llenaban los pasillos. Quería detenerse a contemplar todas y cada una de aquellas maravillas, pero no había tiempo que perder. Su Majestad la reina los estaba esperando.

—Este sitio necesita una limpieza a fondo —observó Lucy—. He contado tres telarañas.

—¡Chisss! —susurró Retaco.

Finalmente, el ayudante de la reina, Abdul, salió a recibirlos abriendo una gran puerta de madera maciza.

—Su Majestad los está esperando —anunció.

En el otro extremo de la estancia había una anciana pequeñita, sentada en el trono con una manta sobre las rodillas. Tenía la piel blanca como la nieve, lucía un vestido negro y llevaba el pelo canoso recogido en un moño perfecto en lo alto de la cabeza.

Era la reina Victoria. Muy seria, miró a Elsie directamente a los ojos.

—Veamos, ¡tú debes de ser la pilluela que robó mi mamut!

Capítulo 75

UNA AUDIENCIA CON LA REINA

Por primera vez en la vida, Elsie no se atrevía a abrir la boca, por lo que se limitó a asentir en silencio.

—¡No fue solo ella quien robó el marabú! —intervino Lucy—. Yo también eché una manita.

—No olvides tus modales —susurró el almirante—. Se dice «Yo también eché una manita, Majestad». Y se pronuncia «Majestad», no «majestá». Rima con «libertad» o «calamidad»

—Yo también eché una manita, Su Calamidad —dijo Lucy.

Retaco se llevó las manos a la cabeza, desesperado.

—¿Y qué derecho teníais a entrar sin permiso en mi **MUSEO DE HISTORIA NATURAL**, resucitar a un animal prehistórico y devolverle la libertad?

Elsie clavó los ojos en los pies.

—¿Y bien? —apremió la reina.

—No lo sé, Majestad —contestó la niña.

—¡Alguna idea tendrás!

Elsie miró a Lucy y Retaco, que asintieron como dándole ánimos.

—Bueno, yo, ejem... creo que...

—Desembucha de una vez, criatura.

—Bueno, yo, ejem... miré a Lanita...

—Un momento, ¿quién es Lanita?

—Ah, es el nombre que le puse al mamut, Majestad.

La reina Victoria le indicó por señas que prosiguiera.

—¡Adelante!

—Veréis, Majestad, todo el mundo llamaba monstruo al mamut lanudo. Pero yo veía a Lanita como una amiga.

—¿Como una amiga? —preguntó la reina, desconcertada.

—Sí, una amiga, y parecía perdida sin sus padres, como yo. Así que quise ayudarla. Ayudarla a volver a casa.

La reina la escuchó, asintiendo en silencio.

—Doy por sentado que eres huérfana. No hay más que verte.

—Sí, Majestad —dijo la niña—. Me dejaron a la puerta del orfanato cuando era un bebé. No llegué a conocer a mis padres.

—¿Sabes algo de ellos?

—No, Majestad. No sé si están vivos o muertos.

Estas palabras golpearon a la reina como si la hubiese alcanzado un rayo. Se emocionó tanto que le costaba respirar, y hasta cerró los ojos.

—¿Estáis bien, Majestad? —preguntó Elsie.

Rompiendo el estricto protocolo real, la niña se adelantó y cogió la mano de la anciana.

La reina Victoria miró la manita mugrienta que sostenía la suya. Este simple acto de bondad hizo que una lágrima asomara a sus ojos.

—Podéis usar mi manga —dijo Elsie, ofreciendo el brazo para secar las lágrimas de la reina, lo que la hizo sonreír.

—Creo que eres una jovencita muy especial —dijo la reina Victoria.

Elsie se quedó patidifusa. Nadie le había hablado así en toda su vida.

La reina Victoria abrió los brazos y envolvió a la niña. Por unos instantes, dos personas separadas por un abismo de edad, clase y riqueza se abrazaron con fuerza.

Fue como si el mundo se hubiese detenido.

—Gracias, pequeña —dijo la reina Victoria—. Lo necesitaba.

—Las dos lo necesitábamos.

—Ha pasado mucho tiempo desde la última vez que alguien le dio un buen abrazo a esta anciana. Es lo que pasa cuando eres la reina.

—Aquí estaré siempre que queráis, Majestad.

Solo entonces rompieron el abrazo.

—Bueno... —empezó la reina—. El mundo entero ha seguido vuestras andanzas a través de los diarios, incluida yo. ¡Cómo iba a imaginar lo que había detrás de una aventura tan extraordinaria! Una profunda y singular amistad entre una niña huérfana y una criatura inocente que necesitaba ayuda para volver a casa.

Elsie asintió.

—Así es, Majestad.

—Esta historia me ha conmovido, en buena medida por la valentía que habéis demostrado, ¡así que os merecéis un reconocimiento oficial! ¡Munshi!

—¿Sí, Majestad? —dijo Abdul.

—Tráeme la caja de las medallas, si eres tan amable...

•-*-•

Capítulo 76

LA MÁS VALIENTE

Los orgullosos pensionistas del Chelsea se colocaron en perfecta formación.

—Tengo algo para todos vosotros —empezó la reina, abriendo la reluciente caja de madera—, mis valientes soldados.

—¡Y marinero! —apuntó el almirante.

—Ah, y marinero. Disculpe, capitán.

—¡Almirante! —corrigió el anciano con un punto de arrogancia.

—Pues le pedí a mi comandante en jefe que me informara sobre todos ustedes, y me dijo que usted nunca pasó de capitán.

Los viejos soldados se lo quedaron mirando boquiabiertos.

—Bueno, yo... ejem... —farfulló el hombre—. Creo que ha habido algún malentendido, Majestad.

—¿De veras? —preguntó el teniente—. ¡Y yo que pensaba que no daba una!

—Verá, creo que cuando me pidieron que me fuera de la residencia para marineros jubilados y llegué al Royal Hospital, todos los soldados empezaron a llamarme «almirante», ¡vaya usted a saber por qué!

Los soldados murmuraban entre sí:

—¡Fue él quien nos lo dijo!

—Será embustero.

—¡Me encantaría meterle esa pata de palo por donde yo me sé!

—¡Lástima que el tiburón no se lo comiera enterito!

—¿En este pub sirven algo de comer?

—Eso mismo me he preguntado yo más de una vez —dijo la reina, que no parecía tenerlas todas consigo—. Bueno, capitán, venga a recoger su medalla.

Visiblemente nervioso, el hombre se acercó cojeando a la soberana.

¡CLONC, CLONC, CLONC!

Mientras el capitán hacía el saludo militar, la reina Victoria le colgó una medalla en el pecho.

—Como jefa suprema de las fuerzas armadas británicas, le impongo esta condecoración y lo promuevo al rango de almirante. Retirado, eso sí.

El recién nombrado almirante se dio la vuelta y miró a los demás dándose aires.

—Gracias, Majestad.

—Vuelva a su puesto antes de que cambie de idea.

—Por supuesto, Majestad —replicó el hombre, y se alejó a la pata coja como alma que lleva el diablo.

¡CLONC, CLONC, CLONC, CLONC, CLONC, CLONC!

Uno tras otro, la reina fue llamando a los viejos soldados y les fue prendiendo medallas en la pechera. Finalmente, le tocó a Retaco, el recluta que solo tenía una, la que reciben todos los soldados por cumplir con su deber.

—Bueno, recluta Thomas —empezó la reina—, me han dicho que su carrera militar no ha sido precisamente brillante. Pese a haber servido en mi ejército durante más de cincuenta años, nunca ha pasado de recluta. Ha participado en algunas de las mayores batallas de la historia, pero se las ha arreglado para no disparar una sola bala.

—No me gusta el estruendo de los disparos, Majestad.

—A lo largo de los años, recluta Thomas, se han burlado de usted por su estatura, pero esta extraordinaria aventura ha demostrado que es usted un GRAN hombre en el mejor sentido de la palabra. ¿Sabe qué es esto? —preguntó la reina, enseñándole una medalla en forma de cruz.

A Retaco se le iluminaron los ojos.

—Por supuesto, Majestad. Es la cruz de Victoria, el mayor honor al que puede aspirar un soldado.

—No me desprendo fácilmente de estas medallas. Solo se las doy a los soldados más valientes. Esta cruz de Victoria es para usted, recluta Thomas, y en adelante todos lo conocerán como recluta Thomas, alias «El Coloso».

La reina se inclinó para prender la cruz de Victoria a su pechera. Retaco la miró y se le llenaron los ojos de lágrimas.

—Muchas gracias, Majestad.

Cuando se volvió hacia sus camaradas, estos lo saludaron con un sonoro...

—¡VIVA!

—Esto demuestra, por si alguien lo dudaba, que los héroes vienen en toda clase de formas y tamaños.

El recluta Thomas sonrió con orgullo.

Entonces la reina se volvió hacia Elsie y Lucy.

—Por supuesto, la valentía no es algo exclusivo de los hombres. Son muchas las mujeres de mi reino que merecen ser llamadas heroínas: Florence Nightingale,* Elizabeth Garrett Anderson**, Millicent Fawcett*** son solo algunas de ellas. Creo que vosotras dos también merecéis ese reconocimiento. Acércate, Lucy.

La mujer no se movió.

—¡LUCY!

—¿Quién, yo? —preguntó la interpelada.

—Te llamas Lucy, ¿verdad?

—Sí.

—Pues acércate, si no te importa.

—¿Ahora mismo?

* Fundadora de la enfermería moderna. Era conocida como «la dama de la lámpara» y cuidaba a los soldados enfermos.

** Fue la primera persona que obtuvo permiso oficial para ejercer la medicina.

*** Lideró el movimiento sufragista, que defendía el derecho al voto de las mujeres.

—Sí. Ahora mismo.

Lucy obedeció, deteniéndose para inclinarse con cada paso que daba.

—¡Espabila! —ordenó la reina.

—Mil perdones, Su Calamidad.

La reina Victoria la miró con exasperación y le puso una medalla al pecho.

—Dejad que os ayude, Su Majestuosidad —dijo la mujer, pero estaba tan nerviosa que se pinchó con la medalla.

—¡AY!

—¿Va todo bien? —preguntó la reina.

—Sí, sí, perfectamente. ¡AAAY!

—¿Seguro?

—Es que me he pinchado. Pero estoy bien, de verdad. De maravilla. ¡UY!

Lucy retrocedió, inclinándose a cada paso.

—Y por último, mas no por ello menos importante... ¡Elsie! —anunció la reina.

La niña se inclinó en señal de respeto y se acercó de nuevo a la anciana reina.

—Elsie, has sido la más valiente de todos. De entrada hace falta mucho valor para vivir en las calles de Londres, pero además has sido la fuerza impulsora de esta extraordinaria aventura. Y todo esto lo has hecho no por ti, no para tu propio provecho personal, sino para ayudar a «una amiga», como tú misma has dicho. Has demostrado un valor inigualable.

La reina Victoria introdujo la mano en la caja para sacar la última medalla.

Pero entonces la niña tomó la palabra.

—Lo siento, no quisiera parecer desagradecida, pero yo no quiero una medalla, Majestad.

Un grito ahogado recorrió la sala.

•—✱—•

Capítulo 77

INOLVIDABLES

—¿Que no quieres una medalla? —farfulló la reina—. Pero si todos se mueren por mis medallas.

—Lo que yo quiero es que ayudéis a los huérfanos como yo —dijo Elsie.

La reina reflexionó unos instantes.

—Bueno, después de todo lo que ha pasado, no puedo volver a dejarte abandonada a tu suerte en las calles de Londres, ¿verdad que no?

Entonces, una sonrisa dulcificó el rostro de la anciana.

—De acuerdo. Joven Elsie, ¿por qué no te vienes a vivir conmigo aquí, al palacio de Buckingham? Podrás hacerme compañía en mis años de vejez.

—¡Una idea maravillosa, Majestad! —aplaudió Abdul.

Todas las miradas se volvieron hacia la niña.

—¿Podría traerme a veinticinco amigos? —preguntó Elsie.

—¿VEINTICINCO? —balbució la reina.

—Sí, todos ellos viven en el mismo orfanato en el que me crie. Cuando me escapé de allí, les prometí que nunca me olvidaría de ellos. Y no lo he hecho.

—¿Cómo se llama ese orfanato?

—VILLA LOMBRICES, hogar para niños indeseados.

—¡Suena terrible!

—Lo es.

—¿Y tú te escapaste de allí, Elsie?

—Tuve que hacerlo, Majestad. La señora que dirigía el orfanato me daba unas palizas tremendas. Si no me hubiese escapado, estaría muerta.

La reina respiró hondo. No quería creerlo, pero sabía que la niña decía la verdad.

—¿Cómo se llama esa «señora», aunque dudo mucho que merezca ese nombre?

—Señora Agria, Majestad.

—Mmm... Munshi.

—¿Sí, Majestad? —respondió Abdul.

—Ordena que encierren a la señora Agria en la Torre de Londres.

—Será un placer, Alteza.

Elsie estaba que no cabía en sí de alegría. ¡Aquella historia sí tendría un final feliz!

—¡Hay días en los que me encanta ser reina! —exclamó la reina—. Ah, una cosa más, Munshi...

—¿Sí, Majestad?

—Envía una caravana de carruajes para recoger a esos pobres huérfanos y haz que los traigan al palacio de Buckingham.

—¿A los veinticinco, Alteza?

La reina tragó saliva.

—Sí, a los veinticinco. ¡Sitio no nos falta!

—Sus deseos son órdenes, Majestad —dijo Abdul, que se inclinó ante la reina antes de irse.

—Al fin y al cabo, esta noche es muy especial, pequeña... —empezó la reina.

—¿Ah, sí? —preguntó Elsie. Después de tantas semanas a bordo, había perdido la noción del tiempo.

—Sí, hija mía. Hoy es Nochevieja. Cuando suenen las doce campanadas daremos la bienvenida a un nuevo siglo, pues empezará el año 1900. Me gustaría que tus veinticinco amigos y tú me acompañarais durante el banquete y los fuegos artificiales, ¿qué te parece?

—¡Sí, Majestad, por supuesto!

—Estupendo. ¡Daré orden a mis cocineros para que vayan preparando el banquete!

—¡Qué ganas tengo de volver a ver a mis amigos y contarles esta historia increíble!

—Estoy segura de que te han echado de menos, jovencita.

Elsie sonrió y se volvió un momento hacia Lucy antes de añadir:

—Majestad...

—¿Sí, Elsie?

—¿Mi amiga Lucy también podría venir a la fiesta de esta noche? Me ha cuidado como nadie lo había hecho nunca. En realidad, es como una abuela para mí. Me encantaría entrar en el nuevo siglo junto a ella.

La reina suspiró, resignada.

—De acuerdo, de acuerdo. Lucy, puedes venir también, ¡pero por favor no vuelvas a llamarme «calamidad»!

—Oooh, muchas gracias, Su Calamidad! —contestó la mujer—. ¡CACHIS!

El recluta Thomas intentaba que Lucy se fijara en él, pero no había manera, así que le dio un fuerte codazo.

—¿Se puede saber qué quieres? ¡Estoy hablando con su majestuosa Majestad en persona!

—¿Y no debería acompañarte el amor de tu vida a esa fiesta?

—¿De quién me hablas?

—¡DE MÍ!

—Se lo preguntaré —replicó Lucy, y levantó la mano—. Su altísima Alteza...

—¿Sí...? —repuso la reina como si no estuviera segura de que se dirigía a ella.

—¿Podría acompañarme Thomas, El Coloso, a la fiesta? —preguntó, muy orgullosa.

—No ocuparé mucho espacio. Ni se enterará de que estoy, Majestad —añadió el hombre.

La reina Victoria soltó un profundo suspiro.

—Supongo que no viene de uno más —dijo.

—¡MUCHAS GRACIAS, MAJESTAD! —exclamó Retaco.

Justo entonces, el almirante levantó la mano.

—¿SÍ? —preguntó la reina.

—Majestad, si me permite la osadía, el recluta Thomas y yo somos amigos íntimos desde hace muchos años...

—¡De eso nada! —replicó Retaco.

—¡CIERRA EL PICO! —susurró el almirante—. Y lo echaría mucho de menos si no pudiera compartir esta noche tan especial con él.

La anciana reina volvió a suspirar.

—¡De acuerdo!

—¿Traigo una botella de ron?

—Creo que tenemos un par de barriles.

—¡Maravilloso! ¿Pero qué beberán todos los demás invitados?

—¿Alguien más quiere venir a la fiesta? —preguntó la soberana.

Todos los soldados jubilados empezaron a asentir con entusiasmo y a murmurar entre ellos.

—¡Oh, sí!

—¿Será una cena formal o tipo bufet?

—Yo no puedo quedarme hasta muy tarde. Tengo que estar de vuelta en el hospital antes de medianoche.

—¡De acuerdo, de acuerdo, podéis venir todos! —exclamó la reina—. ¡Y ahora haced el favor de marcharos antes de que cambie de idea!

Dicho y hecho. Nunca una habitación se vació tan deprisa.

•—*—•

Capítulo 78

NI UN SOLO DÍA

¡BUUUM! ¡FIUUU! ¡CATAPLÁN!

Los fuegos artificiales iluminaban el cielo de Londres, y los afortunados que celebraban la Nochevieja en lo alto del palacio de Buckingham disfrutaban de las mejores vistas posibles.

Menuda fiesta había organizado la anciana reina. Estaban los veinticinco huérfanos de VILLA LOMBRICES, todos los pensionistas del Chelsea, Abdul, Lucy y, por supuesto, la invitada de honor: Elsie.

De postre se sirvió un enorme pastel que los huérfanos hambrientos devoraron en menos que canta un gallo sin dejar ni una miga.

Junto a la chimenea, el recluta Thomas se apoyó sobre una rodilla y le pidió la mano a su amada.

—Lucy, ¿quieres casarte conmigo?

—¿Dónde estás? —preguntó la mujer.

—¡Aquí abajo!

—Perdona, no te había visto.

—¿Quieres casarte conmigo?

—¡Ay, me he olvidado de enjuagar las fregonas!

—¡LUCY! —El hombrecillo empezaba a perder la paciencia—. ¿QUIERES CASARTE CONMIGO?

—No hace falta gritar, querido. ¡SÍ!

La pareja se besó mientras todos a su alrededor aplaudían.

—¡VIVA!

¡TOLÓN! ¡TOLÓN! ¡TOLÓN! ¡TOLÓN!
¡TOLÓN! ¡TOLÓN! ¡TOLÓN!
¡TOLÓN! ¡TOLÓN!
¡TOLÓN! ¡TOLÓN!
¡TOLÓN!

El Big Ben dio las doce campanadas, lo que significaba que era medianoche. Atrás quedaba 1899 y comenzaba el año 1900.

Todos se dieron las manos y sumaron sus voces a la de la reina Victoria cuando esta empezó a cantar el tradicional «Auld Lang Syne»:

¿OLVIDAREMOS ALGÚN DÍA A LAS VIEJAS AMISTADES
Y NO QUERREMOS RECORDARLAS?
¿OLVIDAREMOS ALGÚN DÍA A LAS VIEJAS AMISTADES
Y EL TIEMPO COMPARTIDO?

POR LOS VIEJOS TIEMPOS, AMIGO MÍO,
POR LOS VIEJOS TIEMPOS,
BRINDEMOS UNA VEZ MÁS
POR LOS VIEJOS TIEMPOS.

Las estrofas de Robert Burns y la melodía triste hicieron que Elsie se acordara de Lanita. Echaba mucho de menos a su amiga. Mientras cantaba, una lágrima rodó por su mejilla y Elsie fue a esconderse en el otro extremo del salón para que nadie la viera. No quería aguarles la fiesta a los demás.

Solo la reina se dio cuenta de que la niña estaba abatida y fue a su encuentro. Las dos insólitas amigas se encontraron de pronto solas en un rincón. Los fuegos artificiales alumbraban sus rostros a través de la ventana.

—¿Qué te pasa, pequeña? —preguntó la reina con ternura, cogiendo la mano de Elsie.

—Es la canción. Me ha hecho pensar en lo mucho que añoro a Lanita.

—La verdad sea dicha, «Auld Lang Syne» siempre me pone un poco tristona a mí también —confesó la reina Victoria, y se le empañaron los ojos—. Me recuerda a mi querido marido, el príncipe Alber-

to. Lo perdí hace ahora treinta y ocho años, pero no pasa ni un solo día, una sola hora ni un solo minuto sin que me acuerde de él.

—Debía de ser un hombre muy especial.

—Lo era, pequeña, vaya si lo era. El caballero más perfecto que haya existido jamás.

Elsie ofreció su otra mano a la anciana, que la estrechó con fuerza.

—¿Ves esos fuegos artificiales, Elsie?

—Sí, Majestad.

—Así me sentía yo por dentro cada vez que mi querido Alberto entraba en la sala.

—Qué bonito... —murmuró la niña.

—Era amor verdadero. Lo importante es que ambas hemos querido, pequeña, y hemos sido correspondidas. ¿Qué más podemos pedirle a la vida?

—Supongo que tenéis razón —dijo la niña.

—Sé que la tengo. Elsie, viendo este palacio mío, este país mío, este imperio mío que se extiende hasta los últimos confines del planeta, puedes pensar que tengo cuanto se puede desear. Pero créeme, pequeña, sin amor no tenemos nada de nada.

La reina cogió una copa de champán y ofreció a Elsie un vaso de limonada.

—Por Alberto —brindó Elsie.
—Por Lanita —brindó la reina.

¡CLINC!

FIN

EPÍLOGO

Curiosidades sobre el mamut lanudo

El mamut lanudo vivió en Asia, Europa y Norteamérica, y los primeros especímenes aparecieron hace más de cuatrocientos mil años. El Ártico no les hubiese gustado demasiado, porque allí solo hay hielo y no tendrían nada que comer. Aun así, los mamuts sobrevivieron a la glaciación o edad del hielo, por lo que podían soportar temperaturas extremadamente bajas.

Se parecían a los elefantes actuales, pero con varias diferencias, sobre todo el grueso manto de pelaje marrón que les permitía resistir al frío. Además, tenían dos largos colmillos puntiagudos que usaban para defenderse de cazadores y depredadores, pero también para escarbar en la tierra nevada en busca de agua y comida.

Los científicos creen que los mamuts lanudos se extinguieron porque los humanos los cazaban o debido a los cambios climáticos que pusieron fin a la glaciación, o a una combinación de ambos factores.

Los últimos especímenes de los que se tiene conocimiento vivieron en la isla de Wrangel, en el océano Ártico, más o menos cuando se construyó la gran pirámide de Guiza en Egipto, hace unos cuatro mil años.

1. Los mamuts lanudos podían alcanzar los tres metros de altura, lo que viene siendo como poner dos personas una encima de otra.

2. Un macho adulto pesaba cerca de seis toneladas, ¡el peso de cinco coches Mini juntos!

3. Sus colmillos podían medir cuatro metros de largo.

4. Eran herbívoros, lo que significa que no comían carne. Su dieta consistía en hojas, musgo, bayas silvestres, hierba y ramas de los árboles.

5. Los mamuts lanudos vivían y se desplazaban en grandes grupos liderados por una hembra. Lo mismo sucede con el elefante moderno, que desciende de ellos.

6. Se cree que un ejemplar de esta especie vivía sesenta años de media.

7. La mejor manera de saber cuántos años tenía un mamut en el momento de su muerte es observar sus colmillos. La edad se determina por el número de anillos que presenta un corte transversal de los mismos. Sin embargo, los primeros años del mamut no se pueden contar de este modo, pues estarían en la punta del colmillo, que por lo general se desgasta antes.

8. La cola y las orejas de los mamuts lanudos eran proporcionalmente muy pequeñas. Esto era así para prevenir la pérdida de calor y también para evitar que se congelaran.

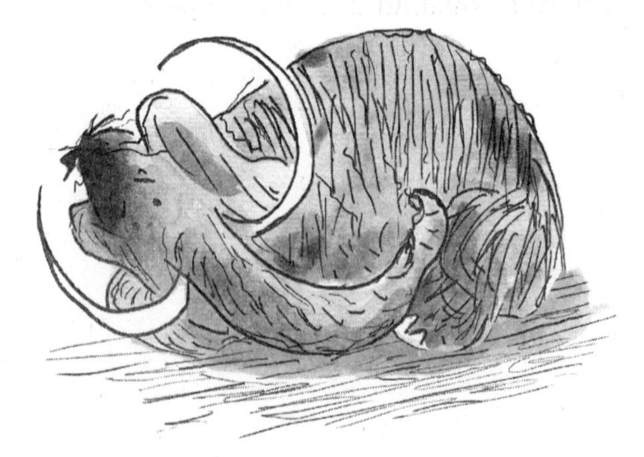

9. En 1799 un cazador siberiano halló el primer esqueleto completo de un mamut lanudo del que se tiene constancia. En 1806, sus restos se trasladaron a un museo de Rusia. Usando el esqueleto de un elefante indio como referencia, Wilhelm Gottlieb Tilesius reconstruyó el mamut a la perfección, excepto por un detalle: insertó los colmillos en la cavidad equivocada, por lo que quedaron vueltos hacia fuera y no hacia dentro, como deberían.

10. La persona más joven que ha descubierto un mamut lanudo fue un joven ruso de once años, Yevgeny Salinder. Se topó con los restos mientras paseaba cerca de su casa en 2012. Este mamut se apodó «Zhenya» —que es el diminutivo de Yevgeny— en honor al muchacho, pero su nombre oficial es «mamut de Sopkarginsky».

•—✱—•

APUNTES SOBRE LA ERA VICTORIANA

El monstruo de las nieves es una historia nacida de la imaginación de David Walliams, por lo que es posible que algunas de las cosas alucinantes que acabáis de leer no hayan pasado nunca en realidad. Pero el autor ha ambientado la historia en 1899, en un periodo conocido como la época victoriana, así que ahí van cuatro datos sobre la vida real de aquellos tiempos en la ciudad de Londres.

El Museo de Historia Natural

El museo tardó siete años en construirse y abrió sus puertas en 1881. En 1899, el año en que transcurre esta historia, su nombre oficial era Museo Británico, aunque todos lo llamaban Museo de Historia Natural. Cuando se inauguró, el albergaba esqueletos animales y humanos, así como colecciones de minerales y plantas secas que habían pertenecido originalmente a un científico llamado Sir Hans Sloane, famoso por haber inventado el chocolate caliente. ¡La famosa réplica de un esqueleto de diplodocus —o Dippy, como se le conoce popularmente— no se donó al Museo de Historia Natural hasta 1905! En 1899 no había modelos de ballena a escala real expuestos en el museo, pero sí el esqueleto de una ballena azul, y más tarde se pintaron varios dioramas sobre las paredes del fondo.

El Royal Hospital Chelsea

Este hospital es una residencia de ancianos en la que aun hoy viven cerca de trescientos veteranos de su ejército. El rey Carlos II ordenó construirlo en 1682 a orillas del Támesis, en Chelsea, como lugar de retiro para quienes habían servido en las filas del ejército británico. En ocasiones especiales los pensionistas del Chelsea, como se conoce a sus huéspedes, se ponen el uniforme de gala, compuesto por una chaqueta roja y una característica gorra negra.

Carros de combate

Elsie y Lucy tienen la brillante idea de disfrazar al mamut como un carro de combate, pero en realidad estos no se inventaron hasta 1915 y solo entraron en acción al año siguiente, durante la Primera Guerra Mundial.

El ZEPELÍN

Los zepelines eran un tipo de dirigible llamado así en honor al conde Ferdinand von Zeppelin, que los inventó en 1874. Tenían una estructura ovalada de metal rígido recubierta de tela que se llenaba con bolsas de gas de hidrógeno y una cabina, llamada góndola, que colgaba de dicha estructura. En realidad, el primer lanzamiento de un dirigible no tuvo lugar hasta el año 1900 en Alemania, y habrían de pasar diez años más para que empezaran los vuelos comerciales.

HMS *VICTORY*

El HMS *Victory*, botado en 1765, participó en la guerra de Independencia estadounidense y en las guerras revolucionarias francesas, pero seguramente es más famoso por haber sido el buque insignia de lord Nelson durante la batalla de Trafalgar, en 1805. En 1899, cuando transcurre *El gigante alucinante*, el HMS *Victory* estaba atracado en Portsmouth, donde permanece en la actualidad.

HMS *ARGONAUT*

El HMS *Argonaut* era una fragata blindada de la armada real británica. Se botó en 1898 y en 1900 fue enviada a servir en China. Durante la Primera Guerra Mundial se usó como barco hospital. En 1920 se vendió para el desguace.

Victoria del Reino Unido

La reina Victoria subió al trono cuando tenía solo dieciocho años, el 20 de junio de 1837, y se mantuvo en el poder durante sesenta años, hasta su muerte en enero de 1901, a la edad de ochenta y un años. Ningún monarca británico había disfrutado hasta entonces de un reinado tan largo. Victoria se casó con el príncipe Alberto de Sajonia-Coburgo-Gotha en 1840, y cuando él murió la reina lo añoraba tanto y sentía una pena tan grande que apenas se dejaba ver en público.

Abdul Karim

La reina Victoria era también la emperatriz de la India. Cuando estaba a punto de cumplir cincuenta años en el trono, pidió que seleccionaran a dos súbditos indios para ayudarla con los preparativos de la celebración, y en 1887 Mohammed Abdul Karim llegó al castillo de Windsor. Enseñó a la reina su lengua materna, el urdu, y se convirtió en su primer ayudante personal de origen indio.

El clima de Londres

Aunque es verdad que 1899 fue un año de mucha nieve, el río Támesis no llegó a helarse. De hecho, no se había helado desde 1814 y desde entonces solo ha vuelto a suceder en una ocasión, durante el invierno de 1963, cuando se heló parcialmente.